Vodka
& conséquences

LISA NIVEZ

Vodka
& conséquences

Red Velvet

Mode d'emploi

Vous êtes sur le point de vous plonger dans la lecture d'un livre dont vous êtes l'héroïne.

Peut-être vous interrogez-vous sur la marche à suivre?

C'est très simple!

Commencez votre lecture au chapitre 1. À la fin de chaque chapitre, vous aurez une indication sur le chapitre à lire ensuite. Attention, il ne s'agit pas d'une page, mais bien d'un numéro de chapitre, que vous trouverez en haut à droite du livre.

Parfois, vous n'aurez qu'à vous laisser guider, et parfois, vous aurez le choix entre deux voire trois chapitres pour continuer votre lecture… Dans ce cas, c'est à vous de décider de la suite de l'intrigue!

Une fois que vous aurez terminé votre première lecture, n'hésitez pas à recommencer au chapitre 1, afin de découvrir les nombreux autres chemins que vous pourriez emprunter…

Bonne lecture!

1

Alors que vous venez de croquer dans un délicieux macaron chocolat-passion, vous contemplez en soupirant la sublime robe Chloé de taille 34 suspendue au-dessus de votre tête.

— Ça me coupe l'appétit tout ce stress, soupire Anaïs en repoussant trois feuilles de salade sur les côtés de son bol en plastique.

— Tu as de la chance, moi ça me fait manger deux fois plus…

Depuis quinze jours, Anaïs et vous avez pris l'habitude de vous installer tout au fond de la *shopping room* pour votre pause déjeuner. Enfin, si on peut qualifier de pause déjeuner les quelques minutes auxquelles vous avez droit, en général après 14 heures.

— Et encore, je t'assure, ajoute Anaïs, Mademoiselle était encore plus terrifiante pour le lancement du mag.

Anaïs est une ancienne de *Yes*, le mensuel féminin dans lequel vous avez été embauchée en CDD il y a six mois. Elle connaît tout le monde, mais personne ne la connaît. C'est parce qu'elle occupe un des postes les moins prestigieux de la rédaction : SR – ou, pour les non-initiés, secrétaire de rédaction. Elle est chargée de corriger les articles, de les mettre en page et de rédiger les chapeaux et la titraille. Sa personnalité discrète et introvertie fait le reste…

Vous ne savez pas pourquoi, mais vous l'avez immédiatement appréciée. Elle est tout de suite devenue votre complice dans cet univers absurde de stress et de paillettes.

Vous vous relevez, en essayant de faire tomber toutes les miettes de votre sandwich dans un petit sac en plastique. Autour de vous, partout, des vêtements, des accessoires, des chaussures… Le tout estampillé des plus grandes marques de luxe. La *shopping room* est l'endroit où sont conservés précieusement tous les envois des marques pour les séances photos à venir. Elle se trouve au sous-sol de l'immeuble, un peu comme le coffre d'une banque… C'est le royaume des stylistes et des rédactrices mode, et, en tant qu'assistante production, vous n'avez que rarement l'occasion de vous y rendre. C'est Anaïs qui vous a révélé qu'elle y avait ses habitudes, en dehors des jours de shooting.

— Tu verras, vous avait-elle expliqué, c'est l'endroit le plus calme de la rédaction.

Depuis, vous avez pris l'habitude d'y échanger vos derniers potins – principalement à propos des engueulades de vos chefs respectives –, mais aussi d'y admirer les vêtements aussi luxueux qu'importables.

— Tu devrais emprunter quelque chose pour ce soir, lancez-vous à Anaïs. La jeune femme est dotée d'un gabarit idéal pour le magazine : elle flotte dans du 36.

Votre collègue éclate de rire.

— Le pire, c'est que personne ne s'en rendrait compte… avec l'effervescence qui règne aujourd'hui, je pourrais sortir avec un sac Chanel sous leur nez sans que personne ne me pose de questions.

Après un bref silence, Anaïs reprend :

— Et comme de toute façon, dans ces bureaux, je suis quasi transparente…

Refusant de voir votre amie se laisser aller à la mélancolie, vous attrapez ses mains pour la relever et l'entraînez vers un portant où sont alignées une bonne vingtaine de robes noires, quasiment identiques. Et vous jouez à la vendeuse.

— Je pense que j'ai exactement le modèle qu'il vous faut. Chic, mais *casual*, tout en étant pointu…

Pari réussi : Anaïs sourit et attrape la robe que vous lui tendez.

— Chiche ?

Avec un sourire malicieux que vous ne lui connaissez pas, elle plie la robe et la range dans son gigantesque cabas noir, puis attrape une paire de stilettos noirs et une pochette argentée qui doit coûter – à vue de nez – deux mois de votre salaire.

— À ton tour ! vous défie-t-elle.

Vous secouez la tête.

— Je doute fort qu'il y ait une seule robe à ma taille dans toute la pièce. Du 38 chez *Yes*, c'est un peu comme du 48 en boutique. Jamais entendu parler.

Mais au lieu d'acquiescer, Anaïs vous entraîne jusqu'au portant des nouveautés. Elle en décroche deux tenues qu'elle vous tend avec un clin d'œil.

— Figure-toi qu'on habille Marika Delter pour la soirée. On lui a proposé trois tenues différentes… Et il se trouve qu'on n'a pas encore renvoyé les deux qu'elle n'a pas choisies.

— Mais comment tu sais ça, toi?

— Une bonne SR sait toujours tout, tu sais bien!

Vous examinez vos options : d'un côté, une longue robe rouge à la coupe visiblement près du corps et au profond décolleté dans le dos ; de l'autre, un smoking noir très chic, dont vous vous demandez si ce ne serait pas du Yves Saint Laurent.

— Je sais ce que Clément aurait choisi! lancez-vous en désignant la robe rouge.

— Et tu sais aussi ce que j'en pense, souffle Anaïs. Tu devrais le rappeler, et essayer de rattraper le coup…

— Oui, oui…, marmonnez-vous avant de vous diriger vers la cabine d'essayage.

Une fois le rideau tiré derrière vous, vous soupirez. Vous n'auriez peut-être pas dû parler de votre vie privée à votre collègue… Mais en même temps, vous passez tellement de temps au bureau que vous n'avez plus tellement l'occasion de vous confier à qui que ce soit d'autre. Et puis il n'y a que quelqu'un qui vit la même chose que vous qui puisse comprendre à quel point le magazine empiète sur votre vie.

Vous sortiez avec Clément depuis un peu plus d'un an quand vous avez été embauchée chez *Yes*. Les choses se passaient bien entre vous, même si vous le trouviez un petit peu lent à la détente : vous auriez bien aimé qu'il accepte l'idée de partager un appartement, plutôt que de vouloir à tout prix conserver son studio d'étudiant.

« Rétrospectivement, il doit s'en féliciter… »

Votre relation n'a pas résisté très longtemps à votre nouveau travail : après plusieurs mois de reproches et de rendez-vous manqués, vous avez fini par vous séparer. Enfin, c'est surtout lui qui a voulu que vous vous sépariez… Vous n'aviez rien vu venir, et ça avait été un choc.

Cela fait plus d'un mois maintenant, et vous avez encore du mal à réaliser.

Vous jetez un œil à votre montre : vous avez quitté l'*open space* depuis dix minutes, vous n'avez plus beaucoup de temps.

Quelle tenue voulez-vous essayer ?

La robe de soirée rouge en 2 ?

Ou bien le smoking noir en 3 ?

2

Vous décidez d'enfiler la robe rouge. Elle vous fait penser à Clément. Vous savez qu'il aurait adoré vous voir porter une tenue aussi habillée. Il ne comprenait pas qu'en travaillant dans un magazine de mode, vous soyez toujours habillée en noir.

Vous faites passer par-dessus votre tête votre petite robe noire, qui, pour un œil non averti, pourrait sembler absolument banale, mais qui est en réalité griffée Vanessa Bruno et vous a coûté un bras. Puis, vous entreprenez d'enfiler la robe rouge... et devez vous tortiller pour réussir à la faire passer sur vos hanches. Le contact de la soie sur votre peau est très agréable. Contrairement à ce que vous imaginiez, vous vous y sentez bien.

Vous sortez de la cabine d'essayage pour aller vous admirer dans le miroir.

— Tadam!

Avec une pose digne d'une hôtesse sur le plateau d'un jeu télévisé, vous faites admirer votre tenue à Anaïs. Mais au lieu de rire, celle-ci reste bouche bée.

— Tu devrais aller te voir, finit-elle par murmurer.

Vous avancez vers le miroir et restez vous aussi un instant sans voix. La robe rouge sied parfaitement à votre silhouette, mettant en valeur vos formes sans vulgarité. Et le décolleté dans le dos est époustouflant.

Vous remontez vos longs cheveux blonds dans votre nuque pour le découvrir entièrement.

«Rien de tel que la haute couture pour vous transformer…»

— Tu aurais peut-être pu enlever ton sou-tien-gorge! pouffe Anaïs en désignant la bande de co-ton noire qui barre votre dos nu.

Vous haussez les épaules en laissant retomber vos cheveux.

— Comme ça, plus de problèmes! déclarez-vous avec un sourire satisfait.

Vous soupirez en vous regardant dans le miroir. Vous vous imaginez sonner à la porte du studio de Clément en portant cette robe avec une paire de ta-lons hauts, et une bouteille de champagne à la main. Le pauvre ne pourrait pas vous résister. Vous secouez la tête. Tout cela n'est qu'un fantasme… Dans la vraie vie, il n'y aucune chance pour qu'on vous autorise à emprunter une tenue de la *shopping room* pour la soirée!

Vous vous pavanez pendant qu'Anaïs vous prend en photo avec son portable, avant de retournez dans la cabine d'essayage pour vous rhabiller en vitesse.

À peine avez-vous enfilé votre gilet que, au fond de votre sac à main, votre smartphone sonne.

Répondez en 4.

3

Après quelques secondes d'hésitation, vous décidez d'essayer le smoking noir. Contrairement à ce que pense Anaïs, avoir un petit ami n'est pas la seule chose qui vous intéresse dans la vie… Depuis des mois, vous essayez de comprendre les subtilités de la mode pour enfin vous intégrer au sein du magazine. Et il y a une chose dont vous êtes sûre : un smoking Yves Saint Laurent est la plus pure expression de l'élégance à la française.

Vous retirez la petite robe noire que vous avez soigneusement choisie dans la nouvelle collection de Vanessa Bruno en vous imaginant qu'elle serait remarquée par vos collègues. Bien évidemment, ça n'a pas été le cas. Mais, au moins, personne ne vous a fait de réflexions désagréables sur votre tenue les jours où vous la portez. On peut déjà considérer ça comme une victoire.

Vous enfilez le pantalon sans difficulté, puis passez la veste. La caresse de la soie de la doublure sur votre peau est agréable, et étrange. Vous avez plus la sensation d'être nue qu'habillée… à tel point que vous hésitez quelques secondes avant de sortir de la cabine.

Quand vous découvrez votre image dans le miroir, c'est le choc. La femme qui vous fait face est sûre d'elle, élancée, subtilement sexy.

«Bien sûr, avec un chignon, ce serait encore mieux», vous dites-vous, en remontant vos longs cheveux blonds sur votre nuque.

— Wahou! s'écrie Anaïs. Tu es sublime, là-dedans. Tu devrais sérieusement penser à en acheter un!

— Je ne veux même pas connaître le prix de ce smoking, rétorquez-vous en vous tournant pour admirer vos fesses moulées dans le pantalon parfaitement ajusté.

— On dirait presque que je suis mince là-dedans! vous exclamez-vous, ravie.

— Je te rappelle qu'il n'y a que dans le milieu de la mode qu'une femme se plaint de faire du 38, hein.

Le regard fixé sur votre reflet, vous soupirez. Dans cette tenue, vous ressemblez exactement à ce que vous voudriez être. Une jeune femme élégante, charismatique, tout à fait à sa place dans un magazine de mode…

Et puis, même si le smoking est moins ouvertement sexy que la robe rouge, le décolleté plongeant fait tout de même son petit effet. Ah! si seulement vous pouviez vraiment emprunter une tenue pour la soirée…

Vous secouez la tête pour reprendre vos esprits et retournez dans la cabine pour vous changer. À peine avez-vous enfilé votre robe que, au fond de votre sac à main, votre portable se met à sonner.

Répondez en 4.

4

Pas besoin de regarder l'écran de votre téléphone pour savoir qui vous appelle. Olivia, votre chef, a sa sonnerie personnalisée, et vous répondez toujours quand elle vous appelle. Même aux toilettes. Même sous la douche. Elle vous a bien fait comprendre que, pour elle, ne pas décrocher le téléphone était un motif tout à fait valable de licenciement… ou en tout cas, de non-renouvellement de votre CDD, ce qui, dans votre cas, revient à peu près au même.

Depuis deux semaines, toute la rédaction du magazine est en effervescence. Et Olivia, la directrice de production, est passée en mode «hystérique» depuis hier. La soirée de lancement de la nouvelle formule du magazine a lieu ce soir, et elle célébrera le résultat de nombreux mois de travail pour toute l'équipe…

— Allô?

— On peut savoir ce que tu fais? éructe Olivia. On t'attend en salle de conf'. Tout de suite.

— J'arr…

Elle a raccroché. Vous levez les yeux au ciel.

— La réunion a visiblement été avancée d'une heure, expliquez-vous à Anaïs tout en filant vers la porte de la salle. Mais j'imagine que j'aurais dû le deviner grâce à mon fameux don de télépathie… On se croise avant de partir, hein?

— Oui, bien sûr! vous répond votre collègue. Bon courage!

Vous vous hâtez de quitter la *shopping* room, votre sac à la main, sans un regard de plus pour les trésors qu'elle contient – de toute façon, après quelques mois, vous avez fini par vous habituer à cet étalage de tenues haute couture, d'escarpins improbables et de sacs de luxe. Et quand Olivia vous appelle, elle attend que vous apparaissiez dans la minute. Même si vous êtes à l'autre bout de la ville.

Vous rejoignez le couloir gris, et vérifiez machinalement l'état du studio photo à votre droite. La porte est ouverte, mais rien ne traîne, le ménage a été fait. «Tout va bien.» C'est le genre de choses qui relève de vos fonctions. Avec l'expérience, vous avez appris que c'était à vous de veiller à ce qu'aucun grain de sable ne vienne gripper la machine bien huilée de l'organisation mise en place par Olivia. À vous de vous assurer que le soda préféré de l'acteur hollywoodien est bien à sa disposition… quitte à aller vous-même en chercher au supermarché d'à côté. À vous de vérifier que les intervenants du jour sont bien réveillés et qu'il n'y a pas de grèves de transport. Ou encore d'aller chercher le photographe à sa sortie de garde à vue pour conduite en état d'ivresse. La routine…

Si on vous avait dit, quand vous étiez encore à la fac, que ce serait ça votre boulot, vous auriez éclaté de rire. D'abord parce que vous n'avez jamais été particulièrement fan de mode. Mais aussi parce que votre route vous semblait toute tracée : vous seriez reporter dans un grand quotidien... Finalement, un stage en entraînant un autre, vous avez fini par ne plus rechercher qu'une chose : un salaire. Voilà comment vous vous êtes retrouvé chez *Yes*

En attendant l'ascenseur, vous vous interrogez. Avez-vous bouclé tout ce que vous deviez faire pour ce soir ? Vous savez que pendant la réunion, Olivia descendra l'interminable liste de choses dont elle vous a confié la responsabilité la semaine dernière. Et vous n'avez pas le droit à l'erreur. À la moindre occasion, elle vous enfoncera. C'est la seule méthode de management qu'elle connaisse.

Vous descendez mentalement la liste des derniers détails à régler pour la soirée. Il faut encore s'assurer des dernières livraisons, gérer les prestataires sur place, organiser quelques transports de VIP sans doute... Tout devrait bien se passer.

L'ascenseur arrive en 5.

5

Arrivée au troisième étage, vous débouchez dans l'*open space* fourmillant où travaillent la quasi-totalité des collaborateurs du magazine. Sur le grand mur gris à votre gauche, le chemin de fer du numéro qui inaugurera la nouvelle formule s'affiche, comme pour rappeler à tous que l'horloge tourne.

L'édition sera en kiosque demain. À ce stade, il ne reste plus que quelques modifications de dernière minute notées sur des Post-it fluos.

Comme toujours, un brouhaha ambiant règne sur le grand plateau : certains sont au téléphone, d'autres chuchotent en cherchant le titre le plus accrocheur pour un article, d'autres encore échangent leurs emplois du temps pour la semaine prochaine… Alors que vous traversez le plateau en direction de la grande salle de conférences aux parois vitrées qui se trouve à son extrémité, vous découvrez ses occupants. Olivia, bien sûr, mais aussi Anne, la directrice de la rédaction – plus communément appelée «Mademoiselle» en raison de son obsession pour Chanel. Si elle est là, c'est que le problème est plus sérieux que vous ne le pensiez…

Vous apercevez aussi Franck, le directeur artistique – absolument irrésistible, mais aussi absolument gay –, Isabelle, la responsable mode, malheureusement flanquée de son assistante, Charlotte, qui, pour une raison que vous ignorez, semble vous en vouloir personnellement depuis votre arrivée.

Vous vous faufilez dans la salle en essayant de saisir au vol le sujet de la réunion, et allez vous asseoir à gauche d'Olivia. Comme toujours, Olivia est impeccable. D'ailleurs, vous ne pouvez l'imaginer autrement qu'avec son carré noir parfaitement lisse. Elle est évidemment très mince, et toujours habillée en noir ; elle se distingue par le rouge à lèvres très vif qu'elle porte en permanence et ses bijoux imposants : manchette ouvragée, collier plastron, grandes boucles d'oreilles…

Audrey, la chef de rubrique actualité, arrive dans la salle sur vos talons, accompagnée d'une jeune femme que vous ne connaissez pas, qui semble à la fois très jeune et plutôt intimidée. Elle a de longs cheveux bruns, et porte d'immenses lunettes rectangulaires à monture noire qui lui mangent la moitié du visage.

— Je vous présente Prune, annonce Audrey, notre nouvelle rédactrice actualité.

— Bonjour, murmure timidement la jeune femme en s'asseyant.

— Bon, on ne va pas tous se présenter, hein, tranche Olivia. De toute façon, tu ne retiendrais pas tous les prénoms, alors bon !

Vous souriez gentiment à la nouvelle arrivante pour tenter de la rassurer. Vous aussi, vous avez eu droit à un accueil agréable… Mais Prune ne connaît pas sa chance : au quotidien, elle travaillera avec

Audrey, l'une des seules personnes du magazine qui semble s'intéresser à autre chose qu'aux nouvelles collections de haute couture. Vous auriez nettement préféré qu'on vous recrute à l'actualité… Mais pour ça, il aurait fallu être diplômée d'une école de journalisme. Vous soupirez en sortant un carnet de votre sac à main.

Mademoiselle prend la parole, ce qui annonce officiellement le début de la réunion.

— Bien, nous avons une mauvaise nouvelle, commence-t-elle. Nous avons appris ce matin que Marina Garde fait la couverture du *Elle* de demain.

Plusieurs personnes se mettent à parler en même temps, et vous jetez un œil à Olivia. Elle était visiblement déjà au courant. Les mâchoires serrées, elle attend que le calme revienne.

— Il faut donc que l'on trouve un plan B pour notre couverture ET que l'on fasse le shooting aujourd'hui. Le tout doit être au plus tard à minuit chez l'imprimeur. Autant vous dire qu'il va falloir se bouger un peu, les enfants.

La crise est de taille… Olivia et vous avez travaillé pendant des semaines pour organiser le shooting de l'actrice la plus en vue du moment. Et tout ça pour rien. Le mieux que vous puissiez espérer est que Marina ne retombe pas trop vite dans l'anonymat et que vous ayez l'occasion de réutiliser les images dans un prochain numéro.

— Alors, on met qui en couverture? interroge Isabelle en farfouillant frénétiquement dans son cahier. Je peux peut-être avoir Loreleï, commence-t-elle.

Toutes les têtes se tournent vers Mademoiselle, attendant son verdict. Cette dernière se tourne vers Prune, occupée à noter tout ce qui se dit dans un grand cahier noir. Au bout de quelques secondes de silence, elle relève la tête, intriguée. Quand elle se rend compte que tout le monde la fixe, elle rougit violemment.

— Prune, c'est ça? demande Anne.

La jeune femme hoche la tête, les yeux écarquillés.

— Est-ce que vous savez qui est Loreleï?

Prune pâlit et jette un regard paniqué à Audrey, espérant visiblement un peu d'aide. Mais au lieu de lui souffler une information, sa chef lui fait signe de répondre.

La jeune femme secoue la tête, et murmure :

— Loreleï comment?

— Ah oui quand même, souffle Charlotte en levant les yeux au ciel. Loreleï Gaborsky, la gagnante du concours Elite de l'année dernière! Non, ça ne te dit rien?

Prune baisse le nez sur son cahier, sans oser affronter le regard condescendant de Charlotte.

«Tu ferais moins la maligne si on te demandait de citer trois ministres du gouvernement…» pensez-vous, en lançant un regard noir à l'assistante mode.

— Ce ne sera pas suffisant, tranche Mademoiselle. Il nous faut quelqu'un connu du grand public, Isabelle, pas un top model. Quelqu'un qui fait rêver et qui surprend. Ce numéro doit marquer, il nous faut une couverture dont on se souvienne.

Audrey fait défiler son carnet d'adresses sur son portable en marmonnant et en secouant la tête.

Quant à Olivia, elle semble figée sur place. Vous savez exactement ce qui se passe dans sa tête. Peu importe le choix que fera Mademoiselle, ce sera à votre chef d'organiser le shooting, quelles que soient les conditions que la star y mette. En un après-midi. Et le tout, bien sûr, en étant toujours responsable du bon déroulement de la soirée de lancement.

Vous avez l'impression que si quelqu'un la touchait là, maintenant, elle tomberait en poussière sur le sol de la salle de conférences.

Soudain, le regard de Mademoiselle se pose sur vous.

— Inutile de vous rappeler à tous que la soirée de lancement de la nouvelle formule est cruciale. Hors de question que cette histoire de couverture devienne une excuse pour la négliger. Il nous faut quelqu'un sur place pour régler les derniers détails. Y a-t-il une volontaire?

Un silence de plomb s'abat aussitôt sur la salle.

Vous réfléchissez à toute allure en 6.

6

La voix de la directrice de la rédaction résonne encore dans vos oreilles. Vous savez très bien que c'est à l'équipe de production d'assurer les derniers détails de la soirée, et en temps normal, Olivia se serait rendue sur place pour avoir l'œil sur le moindre d'entre eux… Mais avec cette histoire de couverture, les priorités sont plus compliquées à déterminer.

L'organisation d'un shooting de dernière minute sera sans aucun doute plus délicate que les petits couacs à gérer avant la soirée. Vous devriez peut-être vous porter volontaire pour vous en charger? Après tout, c'est votre boulot… Mais c'est quand même une énorme responsabilité. Si les choses se passent mal, votre contrat ne sera probablement pas renouvelé, et vous aurez fait tous ces efforts pour rien…

«Mais si les choses se passent bien?» vous interrogez-vous.

C'est peut-être votre chance de vous faire remarquer. Et qui sait, Olivia pourrait même vous être reconnaissante de lui avoir donné un coup de main dans une situation délicate?

Vous vous tournez vers votre chef, qui n'a pas bougé d'un pouce. Vous auriez aimé qu'elle vous fasse signe. Ce serait tellement plus simple qu'elle vous demande directement d'y aller…

Mais son absence de réaction vous fait douter. Peut-être êtes-vous complètement à côté de la plaque? Il y a des professionnels bien plus expérimentés que vous dans cette pièce. Audrey et Isabelle, par exemple. Elles connaissent tout le monde et ont déjà participé à des centaines de soirées de ce genre. C'est sans doute à elles que pensait Mademoiselle en demandant un volontaire.

«Et dans ce cas, si je me propose, je risque de me ridiculiser…»

Et puis, il y a cette petite voix dans votre tête qui vous souffle que l'après-midi va être passionnante ici… C'est sans doute ça, l'occasion qu'il ne faut pas rater: une chance unique de voir comment l'équipe va réussir à créer une couverture en à peine quelques heures…

C'est fou, il y a encore quelques minutes, vous étiez persuadée de savoir exactement comment allait se passer cette journée et, en quelques secondes, tout s'est écroulé!

Un coup d'œil autour de la table. Charlotte, l'assistante mode, s'apprête manifestement à prendre la parole.

«Je suis sûre qu'elle va se proposer… Elle ne se pose pas la question de savoir si elle est à la hauteur, elle!»

En tout cas, si vous voulez intervenir, c'est maintenant ou jamais.

Que décidez-vous?

*Allez-vous proposer de vous rendre sur le lieu de
la soirée de lancement dès maintenant en 7?*

*Ou bien préférez-vous faire profil bas,
en espérant pouvoir aider à la réalisation
de la couverture en 49?*

7

Vous prenez une grande inspiration, puis annoncez le plus clairement possible :

— Je peux aller m'occuper des derniers détails sur place.

Les regards se braquent sur vous, et vous sentez votre confiance vaciller.

— Enfin, je veux dire, bredouillez-vous, si Olivia n'a pas besoin de moi ici.

Votre chef lève les yeux au ciel.

— Je te remercie, je pense que je vais réussir à me débrouiller sans toi, déclare-t-elle d'un ton chargé de sarcasmes.

Mademoiselle, qui ne semble pas percevoir les sous-entendus, se tourne vers vous.

— Très bien. Je compte sur vous pour éviter les catastrophes.

Vous jetez un regard paniqué à Olivia, espérant qu'elle vous indique par quoi commencer. Mais elle se contente de vous fixer quelques secondes, avant d'ajouter :

— Tu veux quelque chose ?

Soudain, vous comprenez que tout le monde attend que vous partiez sur-le-champ. Vous secouez la tête et vous levez précipitamment en ramassant votre carnet et votre stylo.

— Bon, alors… à tout à l'heure… chuchotez-vous en quittant la table de réunion.

Mais déjà, plus personne ne fait attention à vous : les discussions sur la couverture ont repris. Vous refermez la porte vitrée de la salle derrière vous et retournez machinalement à votre bureau. Un coup d'œil à votre boîte mail : vous avez vingt-trois messages non lus. Et la diode rouge de votre téléphone fixe clignote : vous avez des messages…

Vous êtes soudain prise de vertiges. Qu'est-ce qui vous a pris ? Vous n'allez jamais réussir à tout faire à temps… Et avec la chance que vous avez, c'est sûr, la salle va être inondée par une crue de la Seine !

Vous essayez de respirer calmement quelques secondes pour reprendre vos esprits, tout en fourrant tout ce qui traîne sur votre bureau dans votre sac à main. Soudain, une main se pose sur votre épaule et vous sursautez.

C'est Franck, le directeur artistique. Il vous tend une planche en souriant.

— Tiens, c'est le *mood board* de la déco de ce soir. Appelle-moi si tu as besoin d'aide, ajoute-t-il avec un sourire.

Il semble hésiter et finit par reprendre :

— Tu as bien fait de te porter volontaire. Je suis persuadé que tu seras à la hauteur.

Vous le regardez s'éloigner, abasourdie. Jusqu'à aujourd'hui, vous n'étiez même pas sûre que Franck soit au courant de votre existence!

Le charmant DA correspond à tous les clichés que vous évoquait le milieu de la mode avant de commencer votre boulot chez *Yes*: d'abord il est beau, très beau. Ses cheveux bruns sont toujours impeccablement «décoiffés», et il porte en permanence une barbe de trois jours. Ses tenues sont à la pointe de chaque tendance, sans jamais être ridicules. Seules ses grandes lunettes aux épaisses montures noires semblent immuables. Bien sûr, comme la plupart des hommes qui travaillent à la rédaction, vous vous doutez qu'il est gay.

— Les seuls hétéros qu'on croise ici sont les mecs des fonctions supports, vous a appris Anaïs, quelques jours après votre arrivée. Les financiers, quoi! À la limite, à la fabrication, je crois que Bruno est marié…

Vous cherchez Anaïs du regard: vous auriez bien besoin d'encouragements. Alors qu'elle s'apprête à se lever pour venir vous voir, une rédactrice l'interpelle, et elle ne peut que vous lancer un sourire désolé.

Vous jetez un coup d'œil à votre montre et constatez, affolée, que dix minutes sont passées depuis votre sortie de la salle de réunion. Si Olivia se rend compte que vous n'êtes pas encore partie, vous allez vous faire tuer.

Vous traversez l'*open space* le plus discrètement possible et vous engouffrez dans l'ascenseur. Soudain, vous réalisez que vous avez complètement oublié un détail: votre tenue pour ce soir! Vous aviez prévu de rentrer chez vous pour prendre une douche, vous changer, vous maquiller… Bref, être présentable pour une soirée où la plupart des femmes invitées seront mannequins, actrices, chanteuses ou pire : journalistes mode ! En fermant les yeux, vous pouvez visualiser la petite robe dorée qui vous attend sagement sur votre lit. Elle vous a coûté une fortune, mais ça en valait la peine : elle épouse parfaitement vos formes, et réussit presque à vous faire oublier que le critère de beauté principal pour vos collègues est le nombre de vos os que l'on peut distinguer à l'œil nu.

Vous poussez un profond soupir : décidément, cette journée ne se passe pas du tout comme prévu. Que faire ? Vous pensiez prendre le métro pour vous rendre au Savert, le palace parisien où est organisée la soirée… Il n'est qu'à une dizaine de stations, et le trajet est direct. Mais du coup, vous hésitez. Vous pourriez aussi prendre un taxi, et lui demander de patienter en bas de chez vous le temps de récupérer au moins votre robe, puis filer au palace. Bien sûr, la seconde solution signifie que vous arriverez au moins vingt minutes plus tard sur place. Mais aussi que vous ne serez pas ridicule ce soir…

Vous considérez votre robe noire dans le miroir, mais ce qui vous frappe, c'est la panique qui se lit dans vos yeux. Vous avez l'impression d'entendre la voix de Clément vous dire : « Y'a pas mort d'hommes, hein. C'est juste un magazine. Détends-toi. »

Arrivée au rez-de-chaussée, vous devez vous décider.

Allez-vous appeler un taxi en 8 ?

8

Ou bien prendre le métro en 9?

Une fois dans la rue, vous apercevez un taxi libre qui arrive vers vous. «C'est un signe!» décidez-vous en levant le bras pour l'appeler. Le véhicule s'arrête devant vous; vous montez à l'arrière et donnez votre adresse au chauffeur. Soulagée, vous soupirez: c'est sans doute votre dernier moment de calme aujourd'hui.

Au bout de quelques minutes d'un silence seulement troublé par les bruits de la circulation, vous sentez l'angoisse revenir. Vous ne pouvez pas vous permettre de faire une pause, il y a encore bien trop de choses à régler.

Fouillant dans votre sac à main, vous en sortez votre téléphone portable, puis le précieux calepin contenant la to-do liste du jour, et sans perdre une minute de plus, vous passer le premier de la longue série de coups de fil que vous devrez donner cet après-midi.

Vous venez de terminer une conversation avec l'agent de la comédienne Bella Tribilly quand le chauffeur de taxi vous annonce :

— On y est, mademoiselle !

— Vous pourriez m'attendre, monsieur, s'il vous plaît ? demandez-vous, en rangeant vos affaires dans votre sac à main. J'en ai pour une dizaine de minutes au maximum…

— Moi, tant que le compteur tourne, vous savez…, vous répond votre chauffeur, imperturbable.

— Super, merci beaucoup monsieur ! lancez-vous en descendant du taxi.

Vous composez machinalement le code d'entrée de votre immeuble, puis montez l'escalier quatre à quatre. Arrivée au cinquième étage, vous vous arrêtez quelques secondes pour reprendre votre souffle, avant de faire tourner la clef dans la serrure de la porte votre petit studio. L'odeur familière de votre appartement vous réconforte immédiatement, tout comme la vue de votre robe sur votre lit. Vous la rangez soigneusement dans un grand sac plastique, puis vous dirigez vers la salle de bain pour récupérer votre maquillage, que vous jetez en vrac dans le sac. Après un rapide coup d'œil sur les produits qui s'entassent sur le côté de votre minuscule baignoire sabot, vous attrapez votre déodorant, votre brosse à dents et le tube de dentifrice, qui vont rejoindre le reste de vos affaires.

« J'essaierai de faire une toilette de chat avant le début de la soirée, vous dites-vous en quittant votre studio. Ce sera toujours mieux que rien… »

Vous redescendez les escaliers à toute allure. Arrivée au rez-de-chaussée, vous vous arrêtez quelques secondes devant le grand miroir de l'entrée : vos pommettes sont rosies par l'effort, vos longs cheveux blonds dégoulinent du chignon que vous avez rapidement bricolé pendant le trajet, et le sac en plastique est déformé par son contenu… «J'ai l'air d'une étudiante, songez-vous. Et encore, d'une étudiante pas très soignée… Il faudra vraiment que je me prenne un quart d'heure pour arranger ça, sinon ça va être une catastrophe sur les photos. Zut, le photographe !» pensez-vous aussitôt, en vous précipitant vers le taxi qui vous attend comme convenu devant votre immeuble.

À peine avez-vous balancé le sac plastique à vos pieds et indiqué votre nouvelle destination au chauffeur que vous ressortez votre portable.

Au bout de deux sonneries, Erwan, l'assistant de Georgio, vous répond.

— Dans quel état est-il ? demandez-vous, sans prendre la peine de vous présenter.

— Relax, vous répond Erwan sans une seconde d'hésitation. Il n'a pas bu de la journée et il est au courant qu'il couvre la soirée… Que demander de plus ?

Vous poussez un soupir de soulagement qui fait rire votre interlocuteur.

— De toute façon, je t'ai promis que je serai là aussi ce soir. Tu peux te détendre !

— Je suis en route pour le Savert, là, répondez-vous. J'ai commandé votre voiture pour tout à l'heure, envoie-moi un texto quand vous êtes en route, OK ?

— Bien, chef! lance Erwan avant de raccrocher.

Satisfaite, vous attrapez votre carnet et y ajoutez: «Confirmer Georgio», avant de le rayer d'un gros trait rouge. Fait.

Au moment où le taxi tourne à l'angle de la rue du Savert, votre téléphone sonne. Vous grimacez en reconnaissant la sonnerie «Olivia». Vous devriez être arrivée depuis plus de vingt minutes… «Elle va me tuer…» songez-vous en décrochant.

— Allô? Oui… Non, aucun problème.

Olivia parle à toute vitesse, déroulant la liste de toutes les vérifications à effectuer. Vous paniquez en constatant que le taxi est en train de se garer devant le Savert. Le portier se précipite pour vous ouvrir la porte mais, le téléphone plaqué sur l'oreille, vous secouez frénétiquement la tête. L'homme en uniforme hésite un instant, puis recule d'un mètre. Il a compris. Vous recommencez votre manège avec le chauffeur du taxi, lui faisant signe de ne pas faire de bruit, tout en désignant votre téléphone. Celui-ci répond également ment par signe, en vous montrant le compteur. Vous entreprenez de le payer, tout en ponctuant l'énumération de votre chef par quelques «Oui».

Quand Olivia raccroche enfin, vous êtes épuisée par tous ces efforts, et surtout, incapable de vous souvenir de la moitié des tâches qu'elle vient de vous énoncer. Vous quittez le taxi aussi vite que possible et vous vous engouffrez dans le hall du luxueux palace.

Là, vous vous affalez dans le premier fauteuil venu et commencez à noter frénétiquement tout ce dont vous vous souvenez.

«Si je ne me fais pas virer demain, ce sera un miracle.»

À peine une minute plus tard, un employé de l'hôtel s'approche de vous.

— Désirez-vous boire quelque chose, mademoiselle?

Vous relevez la tête en fronçant les sourcils.

— Rien, merci. Mais est-ce que vous savez où je pourrais trouver M. Combe?

Il s'agit de votre contact sur place, le responsable de la location des espaces de réception. Vous avez oublié son titre exact, mais vous avez lu tant de fois son nom sur votre liste qu'il est gravé dans votre mémoire.

— Je vais le chercher tout de suite, mademoiselle, vous répond l'homme avant de tourner les talons.

Votre regard est attiré par deux femmes, manifestement des touristes russes, qui parlent très fort en entrant dans le hall. Les bras chargés de paquets, elles reviennent visiblement d'une virée shopping dans les boutiques de luxe situées à quelques rues.

Soudain un frisson glacé vous parcourt le dos. «Mon sac!»

Vous baissez les yeux: rien. Vous tournez la tête pour regarder autour du fauteuil mais vous avez déjà compris: vous avez oublié le sac contenant votre robe dans le taxi!

«Quelle idiote!»

Vous sentez des larmes de rage vous monter aux yeux. Mais vous devez les ravaler aussitôt: un homme que vous supposez être M. Combe se dirige droit vers vous, le sourire aux lèvres.

Saluez-le en 10.

9

Une fois dans la rue, vous regardez autour de vous : aucun taxi en vue. Cela ne fait que vous conforter dans votre décision. Hors de question de perdre une précieuse demi-heure pour repasser chez vous chercher votre tenue.

«J'aurai l'air d'une pouilleuse ce soir, mais au moins, j'aurai toujours un boulot demain…» vous dites-vous pour vous rassurer en vous dirigeant vers la bouche de métro la plus proche, à quelques minutes de marche.

Il y a peu de temps, vous auriez considéré la robe noire Vanessa Bruno que vous portez aujourd'hui comme le summum de la sophistication… Alors ce sera sans doute suffisant pour ce soir. Avec un peu de chance, vous aurez le temps de passer acheter une paire d'escarpins à talons…

«De toute façon, personne ne fera attention à moi, vous dites-vous, en passant les tourniquets, je ne sais pas pourquoi je panique comme ça…»

Parfois, vous avez l'impression que Clément avait raison. Tout ce stress vous change peu à peu… Il a des jours où vous ne vous reconnaissez plus. Et vous n'êtes pas sûre d'aimer celle que vous êtes devenue.

Vous montez dans le premier wagon de la rame qui vient d'arriver et vous installez sur un strapontin, prête à savourer les quelques minutes de calme avant la tempête. Mais alors que vous n'avez parcouru que trois stations, votre portable se met à sonner.

Vous soupirez en reconnaissant la sonnerie dédiée à Olivia. «Mais pourquoi est-ce qu'on a du réseau dans le métro?!» Vous dites-vous, en décrochant.

— Allô? A... Oli...Tr... OK?

Vous plaquez l'oreille contre votre portable, comme si cette proximité du combiné allait vous permettre d'entendre mieux ce que vous dit votre chef.

— Olivia? Je n'entends rien! Vous pouvez répéter?

De nouveau, vous entendez la voix d'Olivia par intermittence, mais vous devinez qu'elle est en train de vous dicter une liste de points à régler d'ici à ce soir.

Vous en pleureriez de rage : elle doit bien se rendre compte que vous n'entendez rien, non?! Vous notez les quelques tâches que vous avez comprises avant que la communication soit coupée.

Ça tombe bien, vous êtes arrivée. Vous descendez du métro et vous dépêchez de remonter à la surface pour rappeler Olivia... qui est sur boîte vocale!

Vous appelez son poste fixe, qui sonne dans le vide. À bout de nerfs, vous décidez d'appeler Anaïs. Elle décroche à la première sonnerie, mais sa réponse ne vous rassure pas du tout.

— Olivia est descendue en shooting pour la couverture, et ça m'étonnerait beaucoup qu'elle accepte de remonter pour te répéter ses consignes... Je peux toujours descendre et essayer de transmettre le message.

Vous savez combien il en coûte à la timide Anaïs de vous faire cette proposition… et vous savez aussi qu'elle sera reçue comme un chien dans un jeu de quilles.

«Je travaille sur l'organisation de cette soirée depuis plusieurs mois, je vais bien réussir à m'en sortir!» vous dites-vous pour vous rassurer au moment où vous arrivez devant le Savert.

Le bâtiment haussmannien dégage une impression de luxe tranquille. La haute façade blanche est parfaitement entretenue et les fenêtres du rez-de-chaussée sont surmontées de stores d'un rouge profond, que des jardinières de géraniums rouges viennent rappeler à certaines fenêtres des étages.

Vous êtes intimidée en franchissant la porte tournante, mais aussitôt arrivée dans le hall, l'accueil est empressé.

— Puis-je vous être utile, mademoiselle? vous demande un employé en uniforme.

— Je travaille pour *Yes* expliquez-vous, et j'aimerais voir M. Combe.

Vous n'avez jamais rencontré en personne l'homme chargé de la location des salons de réception du palace, mais vous avez vu passer son nom tant de fois pendant les dernières semaines que vous n'êtes pas près de l'oublier…

— Je vais le chercher, vous répond l'employé. Si vous voulez vous asseoir, ajoute-t-il, en désignant un groupe de fauteuils dans le hall avant de s'éloigner rapidement. Une fois assise, vous sortez votre calepin à la recherche des points à vérifier avec M. Combe.

Vous n'avez pas bien longtemps à attendre : quelques minutes plus tard, un homme se dirige vers vous en souriant.

Il vous rejoint en 10.

10

— Olivia? commence l'homme. Enchanté, je suis M. Combe.

— Bonjour monsieur Combe, répondez-vous. En fait, je suis l'assistante d'Olivia. Elle a une urgence à gérer au magazine, et elle m'a chargée de la remplacer ici…

À mesure que vous parlez, le sourire de l'homme disparaît. Il semble beaucoup moins empressé à présent qu'il sait que vous n'êtes que l'assistante.

— Je suis navré, explique-t-il avec un air qui signifie le contraire, mais je suis plutôt pressé. Voyez-vous, nous recevons une personnalité très importante cet après-midi. Et il vient avec toute une suite. Nos équipes seront très prises, je le crains.

Refusant de vous laisser décourager, vous brandissez votre calepin.

— Je n'en ai pas pour longtemps, je n'ai que quelques questions…

— Écoutez mademoiselle, vous interrompt l'homme avec un sourire hypocrite, nos deux grands salons sont à votre disposition, comme prévu. Pour le reste, eh bien… c'est à vous de gérer, j'imagine.

Il a prononcé ces derniers mots d'un ton condescendant qui vous met hors de vous. Mais, avant que vous puissiez trouver une réplique cinglante, il a tourné les talons.

Si vous vous écoutiez, vous quitteriez le palace sur-le-champ, et rentreriez vous rouler en boule sous votre couette. Mais au lieu de ça, vous prenez une grande inspiration et essayez de vous calmer.

Vous vous dirigez vers le concierge, qui vous indique très poliment la direction du grand salon, privatisé pour la soirée de *Yes*.

— Pour ce soir, ajoute-t-il, vous avez une entrée séparée de celle réservée aux clients de l'hôtel.

— Le jardin est bien privatisé, lui aussi? interrogez-vous.

Après avoir vérifié sur son ordinateur, le concierge acquiesce.

**Rassurée, vous vous dirigez
vers le grand salon en 11.**

11

Vous poussez l'immense double porte blanche qui donne accès au grand salon depuis le couloir du rez-de-chaussée. Votre regard est d'abord attiré par les baies vitrées qui occupent tout un côté du salon, offrant une vue imprenable sur le magnifique jardin. En une seconde, on oublie complètement que le palace est situé au cœur de Paris.

«Je comprends pourquoi Olivia a tant insisté pour que la soirée ait lieu ici» songez-vous. On peut dire ce qu'on veut, elle connaît son boulot…

Soudain vous froncez les sourcils. Une odeur de fumée envahit vos narines, et vous regardez autour de vous, cherchant d'où elle peut bien provenir. C'est alors que vous découvrez l'ampleur du travail qui vous attend : comme prévu, le salon a été vidé de son mobilier d'époque. Et la commande de meubles design a bien été livrée… mais pas installée! Le salon est jonché de cartons éventrés, il y a de la poussière partout, et aucune trace de l'équipe que vous avez embauchée pour l'installation du matériel. À moins que…

Vous comprenez tout à coup d'où provient cette odeur inhabituelle : à l'autre bout du salon, un homme est assis sur un carton, vous tournant le dos, mais vous voyez clairement une fine colonne de fumée s'élever devant lui.

«Il est en train de fumer dans le salon de réception du Savert!» réalisez-vous, indignée.

Tout ce que vous distinguez de l'homme, ce sont ses cheveux châtain clair en bataille, et sa tenue : un jean noir, un blouson en cuir noir élimé…

«Non mais c'est une blague ?!»

Vous vous dirigez vers lui tout en réfléchissant : il est évident qu'il ne fait pas partie du personnel de l'hôtel… C'est sans doute un manutentionnaire envoyé pour installer les premiers meubles. «Et puisqu'il s'est trouvé seul en arrivant, il doit se prendre une pause…»

Vous ne savez pas vraiment ce que vous allez lui dire.

Vaut-il mieux faire comme si de rien n'était, et vous présenter poliment en 13 ?

Ou bien lui dire ses quatre vérités pour lui montrer tout de suite qu'avec vous, il va devoir se mettre au boulot en 12 ?

12

Vous imaginez la réaction qu'aurait Olivia en découvrant ce spectacle : ce serait un carnage. Le pauvre ne se rend pas compte de sa chance….

— Ça va, je ne vous dérange pas ? lancez-vous d'une voix la plus forte possible.

Au lieu de sursauter comme vous l'aviez espéré, l'homme se retourne calmement. Il est plus vieux que vous ne l'imaginiez en voyant sa tenue. Une quarantaine d'années, à vue de nez. Son regard est d'un bleu perçant, et sa barbe de plusieurs jours lui donne un air d'aventurier.

— Mais pas du tout, mademoiselle, déclare-t-il enfin en souriant tranquillement, comme s'il était parfaitement normal qu'il soit en train de fumer au beau milieu du salon.

Puis il entreprend de vous détailler de la tête aux pieds, ce qui achève de vous mettre hors de vous.

— Je ne sais pas qui vous êtes, commencez-vous en imitant de votre mieux la voix glaciale que prend Olivia quand elle est en colère, mais je suis sûre que vous êtes au courant qu'il est interdit de fumer ici.

— Holà! Du calme! répond l'homme en riant. Il n'y a que nous deux, ici. Si vous ne me dénoncez pas, tout ira bien… Vous en voulez une? ajoute-t-il, en vous tendant son paquet de cigarettes.

Vous passez une main sur votre front en soupirant. Visiblement, vous ne pourrez rien en tirer… Vous ne vous sentez pas capable de lui hurler dessus. La seule chose à faire, c'est d'appeler la société chargée de l'installation et de demander à ce qu'il soit remplacé.

— Écoutez, soupirez-vous, le gratin de la mode parisienne doit faire la fête ici dans quelques heures, et c'est moi qui dois m'assurer que tout soit parfait. Vu l'état dans lequel est le salon, je pense plutôt que je vais me faire virer demain. Alors soit vous éteignez cette cigarette et vous vous mettez à bosser, soit vous partez!

Malgré vous, votre voix est partie dans les aigus sur la dernière phrase: vous sentez la panique vous gagner.

L'homme se gratte la tête une seconde, puis se lève.

— J'en déduis que vous ne savez pas qui je suis, lance-t-il, en jetant son mégot par une fenêtre ouverte. Vous avez de la chance que je sois bonne humeur, sinon, vous seriez virée tout de suite…

Vous froncez les sourcils, sans comprendre.

— Je suis Ian Bramfield, lâche-t-il au bout de quelques secondes.

OK, Ian Bramfield. Le célèbre chef cuisinier qu'Olivia a eu tant de mal à faire venir pour la soirée. Elle va vous tuer. À petit feu.

— Je… je suis désolée, bredouillez-vous.

L'homme lève un sourcil, amusé.

— La prochaine fois que vous voudrez faire la morale à quelqu'un, demandez-lui son nom d'abord…

Puis il tourne les talons et s'éloigne d'un pas tranquille.

«Mais quelle conne, c'est pas possible!»

Vous vous donneriez des baffes… Vous êtes certaine de perdre votre job à la seconde où Olivia apprendra ce qui s'est passé, mais, en attendant, la mise en place du salon ne va pas se faire toute seule…

Mettez-vous au travail en 14.

13

Vous décidez de vous montrer prudente : après tout, vous n'avez aucune idée de l'identité de l'inconnu.

— Excusez-moi ?

L'homme se retourne et vous découvrez son visage. Il doit avoir une quarantaine d'années, des yeux très bleus, une barbe de plusieurs jours… et un petit sourire en coin. Il n'a pas l'air gêné du tout, bien au contraire. Vous le voyez prendre son temps pour vous détailler de la tête aux pieds avant de répondre.

— Ne vous excusez pas, je suis ravi d'avoir de la compagnie ! lance-t-il, en soufflant la fumée de sa cigarette dans votre direction.

Vous toussez ostensiblement, mais il n'a pas l'air de saisir le message. Avec votre sourire le plus poli, vous demandez :

— Pourriez-vous arrêter de fumer, s'il vous plaît ?

L'homme éclate de rire.

Alors que la cendre de sa cigarette tombe sur le parquet, à ses pieds, vous sentez que vous perdez patience.

— Je travaille pour *Yes,* expliquez-vous, et je dois vérifier toute la mise en place pour la soirée. Alors si vous n'êtes pas là pour m'aider, je vais devoir vous demander de partir.

Vous avez prononcé la dernière phrase un peu plus fort que prévu, et vous vous mordez la lèvre, en espérant que l'homme ne va pas faire un scandale.

Il se lève enfin, et jette sa cigarette par une fenêtre ouverte avant de s'avancer vers vous. Il s'arrête à quelques centimètres, et vous chuchote :

— Un conseil : ne racontez pas à Olivia que vous avez engueulé Ian Bramfield en arrivant. Je pense que vous n'auriez pas de bon point…

Puis l'homme tourne les talons, vous plantant là, bouche bée. Ian Bramfield. Le chef cuisinier qu'Olivia a mis des semaines à convaincre de venir. Vous sentez une sueur froide couler dans votre nuque.

«Heureusement que je ne lui ai pas hurlé dessus…» vous dites-vous. Même si vous n'êtes pas vraiment partie sur de bonnes bases, au moins, vous n'avez rien dit de catastrophique. «Je lui ai quand même demandé de partir!» réalisez-vous avec une grimace.

Vous fermez les yeux quelques secondes, le temps que les battements de votre cœur ralentissent un peu. Puis votre regard parcourt de nouveau le salon. Il n'y a plus de temps à perdre : il faut vous y mettre.

Occupez-vous de la salle en 14.

14

«Il n'y a pas de problèmes, il n'y a que des so-lutions» vous dites-vous pour vous rassurer. C'est la devise d'Olivia, et à force de l'entendre toute la journée, vous finissez par y croire. Visiblement, l'équipe chargée de la mise en place est en retard.

«Commençons par là» décidez-vous, en sortant votre portable de votre sac à main.

Un rapide échange avec le gérant de la société vous apprend que son équipe est décimée par une épidémie de gastro, mais qu'il a réussi à trouver trois personnes disponibles qui sont en chemin.

Vous venez de raccrocher quand une voix s'élève dans votre dos.

— C'est ici, la soirée de *Yes*?

Vous vous retournez et découvrez une jeune femme aux cheveux blond platine coupés très court, qui vous regarde les bras croisés. Elle porte un mini-short en jean et une veste en jean, elle aussi.

— Euh… oui, répondez-vous, surprise. Pourquoi?

— Je viens pour la mise en place, explique la jeune femme.

Vous lui souriez, soulagée de ne plus être seule, et soupirez intérieurement : ce n'est pas exactement l'aide que vous attendiez… Mais c'est toujours ça de pris !

La jeune femme s'approche de vous, la main tendue.

— Je m'appelle Léa.

Vous lui serrez la main, et, observant son visage, découvrez les piercings qui ornent son visage : sur le nez, sur la lèvre inférieure, et bien sûr, les oreilles.

— Il n'y a que vous ? demandez-vous en regardant derrière elle.

— Yep ! mais les autres arrivent dans une heure maximum, répond-elle, en haussant les épaules.

Elle balaye rapidement le salon du regard, et enlève sa veste qu'elle pose sur un des cartons. Elle porte un débardeur blanc dévoilant le tatouage qui recouvre tout son bras droit. Les motifs complexes et colorés descendent de son épaule jusqu'à son poignet.

Vous oscillez entre l'énervement et l'admiration. Votre première réaction est de vous dire que ce n'est pas une tenue pour venir travailler… Mais vous ne pouvez vous empêcher d'admirer la beauté rebelle de la jeune femme. Vous devez avoir à peu près le même âge, mais à côté d'elle, vous vous sentez soudain très vieille. Et très coincée.

La bonne surprise, c'est que, malgré les doutes que vous a d'abord inspirés son apparence, Léa est très efficace. Elle se met immédiatement au travail, déplaçant seule de lourds meubles bien plus grands qu'elle. Et elle a l'air de savoir où va chaque élément. Mais elle ne peut pas faire de miracle… « On ne sera jamais prêts pour ce soir ! » vous dites-vous en vous rongeant les ongles machinalement.

Alors que vous êtes occupée à vérifier le contenu de chaque carton et à rayer les éléments correspondants sur votre liste, votre portable sonne. C'est Clément.

Vous décrochez en réfléchissant à toute allure. Peut-être pourriez-vous lui demander de venir vous donner un coup de main, le temps que le reste de l'équipe arrive? Son bureau n'est qu'à quelques minutes du Savert…

— Allô?

— Je tombe mal? demande aussitôt Clément.

— Non, pas du tout, pourquoi tu dis ça?

— Tu as ta voix des mauvais jours…

Vous soupirez, puis vous lancez dans un flot ininterrompu d'explications, racontant les détails de votre journée. Quand vous vous arrêtez, à bout de souffle, il y a quelques instants de silence avant que Clément demande :

— Tu veux que je vienne te donner un coup de main?

Vous jetez un œil autour de vous, hésitante. C'est vrai que les choses avanceraient plus vite… Mais avez-vous vraiment envie de lui demander de l'aide?

Vous savez que le voir risque de vous perturber. Vous pourriez aussi bien donner un coup de main à Léa vous-même pour accélérer un peu les choses… Mais ça voudrait dire finir en sueur alors que vous n'avez pas de quoi vous changer.

Que faire?

Allez-vous demander de l'aide à Clément en 15?

Ou bien aller aider Léa vous-même en 16?

15

La voix de Clément est si rassurante que vous cédez à votre impulsion.

— Oui, je veux bien! Je suis désolée de te demander ça, mais je ne m'en sors pas du tout, là.

— J'arrive.

Il a raccroché. Vous vous mordez la lèvre en espérant que vous ne venez pas de faire une bêtise. Vous qui vous étiez toujours juré de ne pas mélanger vie privée et vie professionnelle! Enfin, pour être honnête, ça fait des mois que vous n'avez plus vraiment de vie privée, alors…

Vous croisez le regard de Léa, et la lueur amusée dans ses yeux vous indique qu'elle a entendu toute votre conversation. Vous vous sentez rougir.

La jeune femme ne semble pas du genre à appeler son ex à l'aide, elle. «Ni n'importe qui d'ailleurs» songez-vous en la regardant déplacer une pile de chaises.

Parfois, vous aimeriez être plus indépendante, vous aussi… Vous vous reprenez: ce n'est pas le moment de vous interroger sur votre caractère. Vous

vous dirigez vers le fond du grand salon et ouvrez la double porte qui s'y trouve. Elle donne sur une pièce tout aussi luxueuse que la première, mais beaucoup plus petite. C'est là que se situera l'espace VIP, l'endroit le plus stratégique de la soirée.

Vous poussez un soupir de soulagement en constatant que cette pièce a été entièrement préparée. De confortables banquettes rouges – parfaitement assorties aux rideaux – ont été installées le long des boiseries, devant de petites tables basses. Des fauteuils crapauds, rouges également, leur font face, créant une dizaine de petits espaces intimes, propices aux conversations privées. De grandes compositions florales tout en hauteur tiennent lieu de séparation entre les tables.

Un bar tout en verre et en acier est dressé à l'entrée du petit salon, et il est même déjà garni. Il ne vous restera plus qu'à disposer les anciennes couvertures de *Yes* encadrées pour l'occasion, et tout sera parfait. La société de sécurité a aussi prévu un physionomiste pour contrôler l'accès de cet espace VIP.

En retournant dans le salon principal pour récupérer les affiches, vous vous retrouvez nez à nez avec Clément. Immédiatement, vous sentez votre cœur s'emballer. Vous ne l'avez pas vu depuis plusieurs semaines et vous aviez presque oublié son regard ravageur et la fossette que creuse son sourire sur sa joue gauche.

Vous reculez d'un pas : sentir son parfum est troublant. Son corps mince et musclé vous est si familier que vous êtes tentée de l'enlacer. Pourtant, la distance dans ses yeux vous rappelle à chaque seconde que vous n'êtes plus ensemble.

Vous faites de votre mieux pour sourire.

— Merci d'être venu, tu me sauves la vie.

Comme il arrive directement de son bureau, Clément est en costume. Il enlève sa veste et la pose sur une table encore vide avant de retrousser ses manches.

— Par quoi je commence?

Soulagée de ne pas avoir à faire la conversation, vous vous empressez de lui indiquer les urgences: placer toutes les tables au bon endroit, garnir le bar, accrocher les éléments de décorations prévus par le magazine, monter le pupitre pour le discours du P.-D.G. et mettre en place le *photo booth* où les invités se feront photographier à l'entrée de la salle. Ensuite, il ne restera plus qu'à déblayer tous les cartons qui traînent…

Vous vous occupez d'ouvrir les cartons et d'installer les éléments qui ne pèsent pas trop lourd, pendant que Clément s'attaque aux plus gros meubles. Vous êtes ravie de tomber sur les affiches que vous cherchiez pour le salon VIP et vous empressez d'aller les disposer à leur place. De retour dans le salon, vous sentez votre gorge se serrer en voyant Léa et Clément rire ensemble. Ils viennent de déplacer le pupitre et Clément a visiblement rattrapé une planche de bois juste avant qu'elle ne tombe sur la jeune femme.

Même si vous n'avez plus votre mot à dire sur les femmes à qui Clément s'adresse, vous ne pouvez vous empêcher de les rejoindre.

— Vous avez besoin d'aide?

Clément relève la tête vers vous et vous lisez dans son regard qu'il n'est pas dupe. C'est Léa qui vous répond :

— Non, merci, ça va, votre ami a été super efficace! Je vais chercher les boissons en réserve, ajoute-t-elle en lançant un sourire complice à Clément, avant de se diriger vers la porte du salon.

«C'est ça, bon débarras!» ne pouvez-vous vous retenir de penser en la regardant s'éloigner.

— Je rêve où tu es jalouse? se moque Clément en s'approchant de vous.

Son sourire satisfait vous horripile, mais vous devez avouer qu'il a raison. Vous êtes jalouse de la jeune femme, qui vous semble si rebelle, si libre… Tout ce que vous n'êtes pas.

— Tu crois que je n'ai que ça à faire? rétorquez-vous en haussant les épaules.

— Pardon, j'avais oublié que tu as le job le plus important du monde… soupire Clément en attrapant sa veste de costume. Je vais te laisser, je pense que vous n'avez plus besoin de moi.

Vous vous mordez la lèvre. Quel besoin aviez-vous d'être désagréable? Alors qu'il n'a pas hésité une seconde à venir vous aider…

— Je suis désolée, Clément, murmurez-vous, en posant la main sur son avant-bras pour le retenir.

Il fait un pas vers vous. Il n'est plus qu'à une dizaine de centimètres, assez prêt pour que vous puissiez sentir son parfum, si familier qu'une nouvelle fois, vous avez envie de vous jeter dans ses bras. Quand vous levez les yeux vers lui, vous lisez dans son regard qu'il est troublé, lui aussi.

Clément lève la main pour glisser derrière votre oreille une longue mèche blonde qui s'est échappée de votre chignon. Le contact de ses doigts sur votre joue ne dure que quelques secondes, mais il suffit à vous faire frissonner. Il murmure votre prénom, et vous sentez toute volonté vous abandonner.

Vous fermez les yeux, et sentez son souffle sur vos lèvres.

Soudain, vous sursautez en ouvrant les yeux : votre portable vient de sonner. Clément se recule brusquement. Il fronce les sourcils.

— Je t'en prie, réponds, marmonne-t-il. Je ne voudrais pas nuire à ta carrière…

Vous décrochez en maudissant Olivia : en une seconde, elle a rappelé à Clément pourquoi il avait préféré vous quitter. Alors qu'il vous tourne le dos pour sortir du salon, vous devez prendre sur vous pour ne rien laisser paraître.

— Allô ?

Découvrez ce que vous veut Olivia en 16.

16

— C'est bon, tout est prêt? aboie Olivia dans le combiné.

— Presque, déclarez-vous en jetant un coup d'œil désespéré au salon autour de vous.

Si «presque» signifie «prêt dans deux bonnes heures si jamais l'équipe de déco se décide enfin à arriver», alors vous ne mentez pas.

Vous sentez Olivia se détendre.

— Et les *gift bags*? demande-t-elle. Tu as bien vérifié qu'ils étaient livrés?

Vous laissez passer quelques secondes de silence, décontenancée. Vous n'avez pas vu l'ombre d'un *gift bag* depuis votre arrivée, et pourtant, vous avez ouvert tous les cartons…

Évidemment, cette hésitation n'échappe pas à Olivia.

— Tu te débrouilles comme tu veux, mais il est hors de question que les invités repartent les mains vides!

Vous bredouillez une réponse, mais trop tard: elle a déjà raccroché. Vous vous souvenez très bien d'avoir vous-même programmé la livraison des précieux cadeaux la semaine dernière. Ils auraient dû être livrés à l'hôtel dans la matinée…

Vous êtes distraite de vos réflexions par Léa, qui revient de la réserve en poussant un chariot rempli de boissons. Elle est accompagnée par deux hommes plutôt bien bâtis. Vous poussez un soupir de soulagement : le reste de l'équipe déco est enfin arrivé !

Vous les saluez avant de leur donner vos instructions et ils se mettent aussitôt au travail. Vous allez pouvoir vous consacrer à la recherche des cadeaux disparus. Vous vous installez dans un coin du grand salon, et parcourez vos mails sur votre smartphone pour retrouver le contact du transporteur.

« Bingo ! » pensez-vous, quelques minutes plus tard. Vous relisez le mail avec angoisse, mais vous êtes bientôt soulagée : vous n'avez pas commis d'impair, la livraison était bien programmée aujourd'hui. Il ne reste donc plus qu'à appeler la société pour tenter d'en savoir plus.

Au bout de quelques minutes, vous parvenez à joindre votre contact.

— Le camion est bien parti ce matin, comme prévu, vous dit-il. Attendez, je vérifie… pour moi, c'est livré !

Sa voix triomphante achève de vous mettre en colère.

— Mais enfin, puisque je vous dis que les paquets ne sont pas là !

Vous passez le quart d'heure le plus frustrant de votre vie au téléphone avec le patron de la société de transport qui, enfin, décide d'appeler le chauffeur du camion en question… Vous devez encore patienter dix minutes avant d'avoir des nouvelles. Du coin de l'œil, vous surveillez les préparatifs de la salle. Léa a terminé de garnir le bar, et elle s'occupe maintenant d'installer les bannières, affiches et cadres aux couleurs du magazine. Les deux autres membres de l'équipe ont bien avancé eux aussi : tous les meubles sont installés, et vous les voyez tester la sono de la salle.

— Je suis désolé, vous annonce enfin votre contact. Mais il y a eu une erreur… Les sacs ont été livrés au Savay, pas au Savert.

Vous vous décomposez en apprenant que l'hôtel est à l'autre bout de la ville et que le transporteur n'a aucun chauffeur disponible dans l'immédiat pour aller les récupérer…

Vous raccrochez, au bord du désespoir.

Reprenez vos esprits en 26.

17

— Non, je te remercie, Clément, mais je vais me débrouiller. Je peux te rappeler demain ou c'était urgent?

— Aucun problème, on se parle demain. Bon courage! lance Clément, avant de raccrocher.

Même s'il était tentant d'accepter la proposition de Clément, vous savez que vous avez pris la bonne décision. Votre journée est déjà assez compliquée comme ça, pas la peine d'en rajouter…

Vous rejoignez Léa, qui est en train de pousser l'estrade aux couleurs du magazine qui servira pour le discours du P.-D.G., ce soir.

— Je vais vous aider, proposez-vous, en vous plaçant à côté d'elle.

Une fois l'estrade en place, vous portez toutes les deux le pupitre, qui est moins lourd qu'il en a l'air. Évidemment, votre robe est rapidement couverte de poussière, mais au moins, vous voyez les choses avancer, et vous n'avez pas l'impression de ne servir à rien.

Au bout d'une demi-heure, vous êtes en sueur. Vous admirez Léa, qui semble ne pas souffrir de ces efforts physiques. En fait, vous êtes aussi séduite par sa beauté, sa jeunesse et l'impression de liberté qu'elle dégage. À côté d'elle, vous vous sentez étriquée, coincée, triste. Vous aimeriez oser vous habiller comme ça… et pas seulement parce que vous aimeriez être aussi mince et musclée que la jeune femme! «Visiblement, la manutention est plus efficace que la zumba» vous dites-vous en constatant que vos bras vous tirent déjà. En même temps, la dernière fois que vous êtes allée à votre cours, c'était il y a plus d'un mois…

Léa poursuit son travail pendant que vous faites une pause de quelques minutes, ce qui vous donne une nouvelle occasion de l'observer. C'est comme si votre regard était aimanté, irrésistiblement attiré. Vous n'aviez pas éprouvé un tel sentiment depuis le collège. À l'époque, vous aviez une amie avec laquelle vous aviez une relation très fusionnelle. Elle s'appelait Margot. Vous passiez votre temps à imiter sa façon de s'habiller, ses gestes, ses expressions. Elle vous semblait tellement plus intéressante, plus belle que vous. Vous auriez tant voulu être elle. Au lieu de ça, vous deviez vous contenter d'être son ombre, collée à elle en permanence.

«Je ne me souviens plus quand on a arrêté de se parler? vous interrogez-vous. Elle a dû en avoir marre du pot de colle qui la suivait en permanence…»

Vous êtes interrompue dans vos pensées par l'arrivée du reste de l'équipe d'installation. Deux gaillards costauds, à qui vous expliquez le détail de ce qu'il reste à faire. En un rien de temps, la partie vestiaire et le stand du photographe sont mis en place, juste à côté de l'entrée par laquelle les invités arriveront.

Pendant que les employés déplacent les grandes tables qui accueilleront le buffet, Léa et vous vous occupez d'accrocher les affiches et bannières aux couleurs du magazine.

— Vous pouvez me tenir l'escabeau? vous demande Léa, qui porte un cadre gigantesque contenant l'affiche de la première couverture du magazine.

Vous vous précipitez pour l'aider. Elle grimpe les marches rapidement, mais soudain, elle bascule en arrière, emportée par le poids du cadre. Heureusement que vous êtes là pour la retenir! Par chance, la jeune femme ne pèse pas bien lourd. Elle rit.

— Vous pouvez me lâcher, c'est bon!

Ce n'est qu'à ce moment-là que vous vous rendez compte que, si votre main gauche s'est posée sur sa taille, votre main droite elle, est plaquée sur sa fesse! Vous la retirez aussitôt en rougissant. Heureusement, Léa a le dos tourné.

Une fois le cadre accroché, la jeune femme vous propose de descendre en réserve avec elle pour aller récupérer l'alcool qui va garnir le bar.

Vous jetez un coup d'œil dans le grand salon et constatez, soulagée, que le plus gros du travail est fait.

— OK, allons-y! répondez-vous, en suivant la jeune femme qui pousse un diable devant elle.

Vous quittez le salon, puis passez une petite porte un peu plus loin dans le couloir.

Découvrez les coulisses du palace en 18.

18

Derrière la porte, le décor change du tout au tout. Finis les dorures et les tapis moelleux : le couloir est étroit et la décoration inexistante. Les murs sont nus et blancs, tout est propre, mais rien n'indique que vous vous trouvez au cœur d'un célèbre palace. Après un angle, vous empruntez un ascenseur de service qui vous conduit au sous-sol.

— À gauche, ce sont les cuisines, vous explique Léa en passant.

Vous glissez un coup un œil, curieuse, mais tout ce que vous distinguez, c'est une porte grise à battants percés de petits hublots. Des éclats de voix témoignent que le chef s'est bien mis au travail… Vous croisez les doigts pour que l'effervescence de la soirée lui fasse oublier la jeune assistante maladroite qu'il a croisée il y a quelques heures…

Vous suivez Léa et tournez à droite pour déboucher quelques mètres plus loin devant une porte blanche que Léa ouvre sans hésiter, puis bloque avec le diable. Elle allume la lumière et entre dans la pièce, qui est bien plus grande que vous ne l'aviez imaginé de l'extérieur.

— Attendez-moi là, j'apporte les cartons! vous dit-elle en s'éloignant.

Vous observez les grandes étagères alignées le long des murs, sur lesquelles vous distinguez des cartons, mais aussi toutes sortes d'accessoires : abat-jour, pots à crayons, vases, verres colorés… Cette réserve est une vraie caverne d'Ali Baba. «En version bien rangée!» remarquez-vous, en admirant les étiquettes qui précisent le contenu de chaque carton.

Au bout de quelques minutes, Léa revient à l'autre bout de l'allée centrale, les bras chargés d'un carton qui semble très lourd. Aussitôt, vous attrapez le diable et vous précipitez pour l'aider.

— Non! s'écrie Léa.

Mais, trop tard… Vous entendez la porte claquer derrière vous. D'abord, vous ne comprenez pas pourquoi Léa secoue la tête. Elle pose le carton sur le diable et désigne la porte d'un geste du menton.

— Elle ne s'ouvre pas de l'intérieur, explique-t-elle.

Vous vous retournez, incrédule.

— Quoi? C'est une blague?

Léa fait la moue.

— Allez voir vous-même si vous ne me croyez pas…

Vous ne pouvez que constater que la jeune femme vous a dit la vérité.

Vous êtes bloquée dans la réserve, alors que la soirée commence dans à peine une heure!

«C'est un cauchemar. Je vais me réveiller…» Mais vous avez beau fermer les yeux, quand vous les rouvrez, vous êtes toujours face à la porte sans poignée.

À bout de nerfs, vous commencez à frapper sur la porte.

— Ohé! Y'a quelqu'un? criez-vous. On est bloquées à l'intérieur! Au secours!!

Vous tendez l'oreille, espérant entendre des pas. Mais c'est le silence complet.

— Je suis vraiment désolée… dites-vous à Léa, en vous retournant.

La jeune femme ne semble pas en colère.

— Vous savez, moi, je suis payée pareil, hein. Faut juste qu'on soit sorties avant 4 heures du matin…

Vous écarquillez les yeux.

— On va bien nous trouver avant, quand même?

Léa hausse les épaules avant de s'asseoir sur le diable, à côté du carton. Elle fouille dans la poche de son short en jean et en sort un paquet de cigarettes souple et un briquet.

— Vous en voulez une? vous demande-t-elle, en vous tendant le paquet.

Vous secouez la tête, en vous disant pour la millième fois depuis votre rencontre que Léa est vraiment bien plus cool que vous.

La jeune femme allume une cigarette et attrape un cendrier sur une étagère qu'elle pose à côté d'elle. Puis un sourire malicieux passe sur son visage. Elle tend le bras et arrache le gros scotch marron qui ferme le carton qu'elle portait il y a une minute.

— L'avantage, déclare-t-elle en brandissant une bouteille de vodka, c'est qu'on ne mourra pas de soif!

Elle dévisse le bouchon de la bouteille et se lève pour aller chercher deux petits verres sur les étagères, à droite de l'allée centrale. Elle revient les déposer sur le diable et les remplit.

— Ne me dites pas que vous ne buvez pas non plus!? vous lance-t-elle en souriant, un shot à la main.

L'espace d'une seconde, vous hésitez. Vous êtes épuisée aussi bien nerveusement que physiquement. Et si votre gaffe était l'occasion de faire la pause dont vous avez besoin? De toute façon, vous n'avez pas beaucoup de solutions, là, tout de suite! Et puis vous aussi, vous aimeriez bien être cool, au moins un petit quart d'heure. Pour voir ce que ça fait.

«Au pire, quand les autres arriveront, ils se rendront compte que je ne suis pas là. Et il y en aura bien un qui aura l'idée de nous chercher ici.»

D'un autre côté, si vous continuez à tambouriner à la porte, un serveur finira forcément par vous entendre!

Que décidez-vous? Allez-vous boire un shot de vodka avec Léa en 19?

Ou continuer à appeler à l'aider en 25?

19

Vous sentez que votre désir de plaire à la jeune femme, de l'impressionner à votre tour, prend le dessus. «J'ai bien le droit de souffler quelques minutes!» vous dites-vous pour vous donner confiance.

Vous attrapez le shot qu'elle vous tend et vous asseyez sur le sol en béton. Léa semble agréablement surprise, et porte un toast.

— Aux naufragées de la réserve! lance-t-elle en riant.

Vous faites une moue.

— Vous devez me trouver vraiment stupide, marmonnez-vous, avant de boire votre vodka cul sec.

Le liquide brûle votre gorge et vous sentez les larmes vous monter aux yeux. Vous faites de votre mieux pour ne rien laisser paraître, mais vous voyez Léa sourire. Elle vide son verre d'un trait sans sourciller.

— La dernière fois que j'ai bu de la vodka pure… ça devait être à la fac, soupirez-vous en secouant la tête.

— Je m'en doutais, répond Léa. J'avoue que quand on s'est rencontrées tout à l'heure, je me suis dit que vous aviez l'air un peu coincée… Vous devriez vous détendre un peu.

Elle vous souffle la fumée de sa cigarette au visage et vous toussez, un peu agacée.

— C'est sûr que par rapport à vous, tout le monde a l'air coincé.

— Vous dites ça à cause des piercings et des tatouages?

Vous hochez la tête.

— Ça et puis… je ne sais pas, on a l'impression que vous n'avez besoin de personne!

Léa fait tomber sa cendre dans le cendrier et vous ressert de la vodka à toutes les deux.

— Il ne faut pas se fier aux apparences… vous devriez le savoir.

Un voile de tristesse passe devant les yeux de la jeune femme.

Vous avez envie d'en savoir plus sur cette jeune femme hors du commun. De la connaître. Comme elle semble hésiter à se confier, vous l'encouragez d'un sourire.

— Pourquoi est-ce que vous avez voulu vous faire tatouer?

— Je me suis rendu compte très jeune que j'étais différente. Je veux dire… que j'aimais les femmes, ajoute-t-elle en vous regardant droit dans les yeux.

Un léger frisson vous parcourt. «Peut-être que je l'ai ressenti? vous interrogez-vous. Peut-être est-ce pour ça qu'elle exerce cette sorte de fascination sur moi?» Vous ne savez pas si Léa vous attire. Vous ne vous êtes jamais posé la question de savoir si une femme pouvait vous plaire…

Vous reportez votre attention sur Léa, qui explique :

— Pendant longtemps, j'ai eu l'impression qu'il fallait que je me cache, que je me fonde dans la masse… Surtout ne pas se faire remarquer. Et puis un jour, j'ai rencontré quelqu'un qui m'a montré que je pouvais être heureuse. Et j'ai décidé d'essayer. Chaque tatouage représente une victoire. Le premier, je l'ai fait quand mes parents m'ont mis à la porte.

— Je suis désolée, murmurez-vous, je n'aurais pas dû vous poser cette question. Ça n'a pas dû être facile…

La jeune femme se lève et, d'une geste fluide, fait passer son débardeur par-dessus sa tête, révélant un soutien-gorge blanc en coton légèrement transparent. Vous apercevez les pointes sombres de ses tétons avant de détourner les yeux, gênée.

Depuis que Léa vous a révélé qu'elle aimait les femmes, vous avez l'impression qu'une certaine tension sexuelle règne dans la réserve… Mais peut-être est-ce votre imagination ? Vous tentez de réprimer l'excitation qui vous gagne, nouant votre ventre et accélérant votre respiration.

— Je vais vous montrer mon premier tatouage, explique Léa, en vous tournant le dos.

Vous relevez les yeux, et découvrez une petite étoile aux épais contours noirs sur son omoplate droite.

— Vous le voyez ? interroge la jeune femme.

— Oui… murmurez-vous, la gorge serrée.

La proximité de vos corps, la chaleur de l'alcool, la peau nue de la jeune femme, cette pièce dont vous ne pouvez pas sortir… Vous avez soudain l'impression d'être dans un univers parallèle, loin, bien loin de la réalité.

Léa remet son débardeur, rompant le charme. Vous restez un peu sonnée, sans savoir sur quel pied danser.

— Vous savez, vous m'avez surprise, vous aussi, dit Léa en se rasseyant sur le diable. Je ne pensais pas que vous viendriez m'aider… Je vous voyais plutôt comme le genre de fille qui ne veut pas salir sa robe hors de prix… ou pire, transpirer!

— J'aurais mieux fait de ne toucher à rien, soupirez-vous en désignant le diable du menton.

Léa plonge son regard dans le vôtre, et, pour la première fois, vous remarquez que ses yeux sont d'un vert sombre et non marron comme vous le pensiez.

— Au contraire, chuchote-t-elle. Ça aurait été dommage…

Vous vous sentez rougir jusqu'à la racine des cheveux et détournez la tête et prenez une gorgée de vodka.

Quand vous relevez les yeux vers elle, Léa est souriante, et une nouvelle fois, vous vous demandez si vous ne rêvez pas : «Est-ce qu'elle me fait des avances? Ou est-ce que c'est moi qui interprète?»

La conversation continue sur des sujets plus neutres, Léa vous raconte son quotidien, fait de petits boulots variés et de soirées qui n'en finissent pas.

— L'avantage, c'est que je rencontre vraiment plein de gens, ajoute-t-elle. Et que je ne sais jamais à l'avance sur qui je vais tomber!

L'alcool aidant – vous venez à bout de second votre verre de vodka —, vous vous confiez vous aussi. Vous lui racontez votre rêve d'enfant : devenir grand reporter, enquêter sur le terrain, dénoncer les injustices…

Vous perdez peu à peu la notion du temps : vous oubliez que vous êtes enfermée ici, dans la réserve, alors que vous devriez être en train de vous affairer dans le grand salon…

Vous êtes hypnotisée par le visage de la jeune femme, par sa bouche, pas son sourire. De nouveau, vous sentez l'atmosphère changer. Comme si Léa avait capté les signaux envoyés par votre corps.

— Vous savez, souffle-t-elle en se rapprochant de vous, il n'est jamais trop tard pour changer… pour faire de nouvelles expériences.

Le regard de Léa est sérieux, comme si elle cherchait à évaluer vos intentions. Vous vous sentez paralysée, au bord d'un précipice. Vous ne savez pas si vous voulez sauter ou non.

Votre cœur cogne dans votre poitrine. Léa se penche lentement vers vous, et vous comprenez aussitôt qu'elle veut vous embrasser. Vous avez la tête qui tourne, vous n'entendez plus que le sang qui bat à vos oreilles.

Voulez-vous fuir ce baiser en vous relevant en 24 ?

**Ou bien vous abandonner en oubliant
ce qui vous entoure en 20 ?**

20

Au bout de quelques secondes, votre cerveau semble abandonner la partie. Vous fermez les yeux, prête à vous laisser emporter.

Vous sentez le souffle chaud de Léa sur vos lèvres.

— Regardez-moi.

Vous lui obéissez malgré vous. Ses lèvres douces et pleines se posent sur les vôtres. Aussitôt, le désir serre votre ventre. Vous ne savez pas si c'est le frisson de l'inconnu, la surprise de cette situation ou le besoin d'évacuer la pression infernale que vous vivez aujourd'hui…

Quoi qu'il en soit, votre corps répond à une vitesse folle. La langue de la jeune femme vient écarter vos lèvres tandis que ses doigts caressent votre visage. Vous lui rendez son baiser et vos mains remontent maladroitement le long de ses bras. Sa peau est douce et chaude.

La main droite de Léa descend dans votre nuque, pour vous attirer plus fermement. Votre poitrine vient appuyer contre la sienne. Votre cœur bat la chamade.

Soudain, la jeune femme s'écarte de vous.

— Ne restons pas là, vous chuchote-t-elle. On ne sait jamais…

D'un geste du menton, elle désigne la porte de la réserve. Vous vous sentez rougir à l'idée que quelqu'un vous surprenne là, toutes les deux, assises par terre, une bouteille de vodka à vos côtés… en train de vous embrasser.

Rien de tout ça ne vous ressemble, mais ça vous fait un bien fou…

Léa se relève, et pour la seconde fois, enlève son débardeur, vous laissant tout le loisir de détailler son corps souple et mince. Sa peau est d'un blanc laiteux, sa taille très fine, son ventre plat et musclé. Elle coince son haut dans la poche arrière de son petit short en jean. Puis, elle vous tend la main, pour vous aider à vous relever.

Vous l'attrapez, votre regard détaillant, fasciné, le tatouage coloré qui recouvre tout son bras droit.

Une fois que vous êtes debout, la jeune femme ne lâche pas votre main. Elle vous entraîne derrière elle et vous vous enfoncez dans la réserve. Au bout de l'allée, Léa tourne à droite. À peine avez-vous fait trois pas à sa suite qu'elle vous plaque contre les rayonnages. Vous sentez le métal froid et dur heurter votre dos et vos fesses.

D'une main, elle appuie fermement sur votre épaule gauche, comme pour vous empêcher de bouger, tandis que l'autre est venue se poser sur votre poitrine. La jeune femme vous regarde droit dans les yeux.

— Ici, on ne nous verra pas en ouvrant la porte, murmure-t-elle.

Sa paume effleure légèrement vos seins, venant en titiller les mamelons qui réagissent immédiatement et durcissent. Puis Léa empoigne un de vos seins, qu'elle masse et caresse avec fermeté.

Vous laissez échapper un petit cri quand elle pince délicatement votre téton, provoquant des ondes de plaisir dans votre ventre. Alors que vous sentez que vous commencez à mouiller, la main de Léa quitte votre poitrine et se faufile sous le bas de votre robe.

La caresse de l'air frais sur vos cuisses nues vous fait frissonner. Mais la peau de la jeune femme est chaude quand elle atteint votre petite culotte, la paume plaquée sur votre pubis, le bout de ses doigts tapotant la tache humide qui vient de s'y former. Vous sursautez, surprise par ce contact si direct. Comme pour vous ôter toute envie de protester, Léa vous embrasse de nouveau. Sa langue s'enfonce profondément en vous cette fois-ci.

Vous fermez les yeux, emportée par une vague de désir qui éteint vos derniers doutes sur votre attirance pour votre partenaire et vous fait tout oublier de la situation… Vous sentez ses doigts écarter le coton de votre culotte et fouiller votre sexe trempé. Léa les fait ensuite remonter lentement jusqu'à dénicher votre clitoris gonflé. Le contact est électrique et vous ne pouvez retenir un cri.

Toujours aussi lentement, la jeune femme trace des petits cercles autour votre bouton, utilisant la pulpe de ses doigts pour vous caresser avec une douceur et une efficacité déconcertante.

Si elle continue comme ça, vous allez jouir en quelques secondes. Comme si elle avait lu dans vos pensées, Léa s'arrête et ses doigts quittent votre bas-ventre. Son autre main lâche votre épaule, et vous ou-vrez les yeux, surprise. La jeune femme est agenouil-lée devant vous. À deux mains, elle descend votre culotte sur vos cuisses, puis le long de vos jambes jusqu'à vos pieds. Vous soulevez le pied gauche, puis le droit pour lui permettre de l'enlever entièrement et de la fourrer dans la poche de son short.

Puis elle pose les mains à plat sur vos cuisses pour les écarter. Vous obéissez à sa pression. Votre sexe brûle d'impatience. Léa attrape le bas de votre robe, vous le tend et chuchote :

— Tenez-la.

Empoignant le bas de votre robe à deux mains, vous la remontez à l'orée de votre toison.

— Un peu plus haut, murmure Léa, avec un sou-rire de chat.

Vous prenez une grande inspiration, et vous vous dénudez jusqu'à la taille. Vous vous cabrez au contact froid de l'étagère en métal sur vos fesses. Mais Léa vous repousse fermement contre le rayonnage, et vous vous mordez la lèvre pour ne pas crier à nouveau.

Quand la jeune femme approche son visage, vous ne prêtez plus attention au froid de la pièce et du mé-tal. Tout votre corps, tout votre esprit attendent, anti-cipent le contact de ses lèvres. Votre bassin bascule en avant presque malgré vous.

Les mains de Léa se posent de part et d'autre de votre sexe, venant d'abord écarter votre toison, puis vos lèvres. Vous sentez enfin sa bouche s'y poser, vous arrachant un long gémissement. Sa langue par-court votre fente, aspire, lèche, et remonte peu à peu vers votre clitoris gorgé de sang, jouant avec vos nerfs quelques instants, passant quelques millimètres sur la droite, puis quelques millimètres sur la gauche. Vous croyez devenir folle. Un simple contact sur votre clitoris vous ferait basculer, si seulement elle voulait bien le toucher.

— S'il vous plaît… soufflez-vous, à bout de patience.

Mais au lieu de précipiter les choses, Léa secoue la tête en souriant, comme pour réprimander une élève indocile. Elle souffle très légèrement sur votre bourgeon, avant de s'écarter. Ses doigts remplacent aussitôt sa langue, mais une nouvelle fois, elle s'intéresse à tous ses recoins de votre intimité sauf à votre clitoris. Son index tourne tout autour, suffisamment près pour vous rendre folle d'excitation, mais suffisamment loin pour ne pas déclencher l'orgasme que vous sentez monter inexorablement.

Soudain, vous sentez son majeur presser à l'orée de votre vagin, bientôt rejoint par son annulaire. Ses doigts vous pénètrent, font quelques va-et-vient en vous, puis, de nouveau, Léa approche sa bouche. Sa langue se pose juste sous votre clitoris, et remonte millimètre par millimètre avant de le lécher, de le sucer très lentement.

Vous fermez les yeux, savourant le contact tant attendu. En une seconde, la vague vous emporte : vous sentez tous les muscles de votre corps se tendre, votre vagin se contracter autour des doigts de Léa, et des milliers de points blancs éclatent derrière vos paupières. Vous jouissez en criant.

Vous ne savez pas combien de temps vous êtes restée ainsi appuyée contre le rayonnage, à essayer de retrouver votre souffle, quand un grand bruit vous rappelle à la réalité. Vous ouvrez les yeux, sans comprendre, et vous voyez que Léa enfile précipitamment son débardeur blanc. Vous lâchez le bas de votre robe que vous teniez toujours fermement dans vos poings serrés, recouvrant vos cuisses.

— Quelqu'un est entré dans la réserve! chuchote Léa avant de s'éclipser vers la porte.

Vous faites un pas en avant, permettant à votre robe de retomber sur vos fesses, et clignez des yeux plusieurs fois, comme pour sortir d'un rêve.

Deux voix vous parviennent, comme de très loin: celle de Léa et une autre, masculine.

«Sans doute un employé de l'hôtel», vous dites-vous en refaisant machinalement votre chignon.

Vous entendez Léa vous appeler. Il va falloir sortir de votre cachette. Pour vous donner contenance, vous attrapez le premier carton à votre portée sur l'étagère et rejoignez l'allée centrale.

Votre cœur bondit dans votre poitrine quand vous reconnaissez l'homme qui a ouvert la porte de la réserve. M. Combe. Celui-là même qui a clairement affiché son mépris pour la petite assistante que vous êtes… Et voilà que vous confirmez tous ses préjugés! «Il n'y a qu'une gourde pour se retrouver coincée dans la réserve! Pourquoi faut-il que ça m'arrive aujourd'hui?»

Vous baissez le nez, vous concentrant sur le chemin qui vous sépare du diable, sur lequel vous venez déposer votre carton. Puis vous vous décidez à relever les yeux et découvrez le regard condescendant de l'homme, qui regarde ostensiblement sa montre.

— Tout se passe comme vous voulez? demande-t-il d'un ton faussement mielleux. Je vous en prie, ajoute-t-il, en s'effaçant pour vous laisser passer, je ne voudrais pas vous retarder…

Vous avez très envie de faire rouler le diable sur ses pieds, mais vous vous retenez: ça ne ferait qu'aggraver votre cas. «Déjà qu'il se fera un plaisir de raconter ma mésaventure à Olivia» songez-vous tout en suivant Léa dans le long couloir de service.

Vous vous éloignez aussi vite que possible, la mâchoire serrée, ne pensant qu'à une seule et unique chose: vous n'avez pas de culotte sous votre robe. Et même si un courant d'air dans ce couloir au sous-sol est hautement improbable, vous ne seriez même plus étonnée que votre robe se soulève toute seule. Au point où vous en êtes!

Rejoignez Léa dans l'ascenseur en 21.

21

Dès que les portes se referment, Léa éclate de rire.

— Ça, c'est de l'adrénaline! s'écrie-t-elle en se tournant vers vous et en vous tendant votre petite culotte roulée en boule.

Vous vous empressez de l'enfiler, puis jetez un coup d'œil incrédule à la jeune femme. Vous avez eu tellement peur d'être prise en flagrant délit que vous n'en revenez pas de la voir aussi détendue…

«Pourtant, vous dites-vous, en voyant la joie qui se lit sur son visage, c'est elle qui a raison.» Après tout, vous n'avez pas été découvertes, et même si M. Combe se doute de quelque chose, à qui irait-il le raconter?

Une fois que vous êtes au rez-de-chaussée, Léa s'empare du diable et le pousse vers le grand salon. Vous la suivez, plongée dans vos pensées. Vous avez l'impression d'avoir rêvé. Tout était tellement inattendu. Surréaliste. Une fois devant la porte, la jeune femme s'arrête.

— Tu ne veux pas les planter? vous demande-t-elle avec un sourire malicieux.

— Comment ça? l'interrogez-vous, sans comprendre.

La jeune femme lève les yeux au ciel.

— Tu m'attends ici, je dépose tout ça dans le salon, je récupère mon blouson et on s'en va! Je suis sûre que je peux te faire passer une bien meilleure soirée que celle que tu subirais avec les invités de *Yes*...

Pour vous, entendre le nom du journal est un brutal retour à la réalité. Vous vous précipitez dans le salon, Léa sur les talons, attrapez votre sac et en sortez votre portable.

— Et merde, bredouillez-vous. Vingt-cinq appels en absence. Je vais me faire tuer!

Une bonne douzaine de ces appels sont d'Olivia... Tout à coup, la perspective de vous éclipser en compagnie de Léa devient plus séduisante. Vous n'avez aucune envie d'interroger votre répondeur. Aucune envie d'appeler Olivia pour expliquer que vous étiez coincée dans la réserve. Aucune envie de l'entendre vous traiter d'incompétente.

Léa, qui vous voit vous décomposer, insiste.

— Sérieusement, souffle-t-elle. Rien ne t'oblige à rester. Ce n'est qu'un boulot...

**Allez-vous tout envoyer promener
et suivre Léa en 22?**

Ou bien appeler tout de suite Olivia en 23?

22

Soudain, un collègue de Léa apparaît dans le grand salon, les bras chargés de cartons.

— Ah bah, t'es là! lui lance-t-il, l'air surpris. On t'a cherché partout! C'est presque terminé, ajoute-t-il, s'apercevant de votre présence.

Puis il pose les cartons, fait demi-tour et s'éloigne dans le couloir. Vous regardez autour de vous: effectivement, tout est en place. Une fois le bar garni des bouteilles que vous avez rapportées de la réserve, il ne restera plus que quelques détails à régler. Quoi qu'il arrive maintenant, la soirée peut avoir lieu.

Prendre conscience que le gros de votre travail est accompli vous libère. Vous n'allez planter personne. À part vous peut-être... Et encore, si vous êtes honnête envers vous-même, vous devez bien reconnaître que ce métier n'est pas fait pour vous. Vous n'avez pas été heureuse une seule fois depuis que vous travaillez chez *Yes*.

Votre décision est prise. Vous souriez à Léa, qui vous demande, surprise:

— C'est d'accord? Tu viens avec moi?

— Non, murmurez-vous, en secouant la tête. Mais tu as raison : ce n'est qu'un job.

Léa fronce les sourcils, perplexe.

— Je te remercie, Léa. Tu viens de changer le cours de ma vie.

Vous vous penchez vers la jeune femme et déposez un baiser léger sur ses lèvres. Puis, d'un pas décidé, vous attrapez tranquillement votre manteau que vous aviez rangé au vestiaire et vous l'enfilez.

Juste au moment où vous vous apprêtez à franchir les portes du salon, votre téléphone sonne. Olivia.

Mais, au lieu de vous faire frissonner de peur, les quelques notes de musique vous font sourire. Vous imaginez la tête d'Olivia quand elle apprendra que son assistante a pris la poudre d'escampette.

Vous avisez un vase posé sur le bar. Tendant le bras, vous y laissez tomber votre portable. Le bruit qu'il fait en plongeant dans l'eau est délicieux. Vous rejoignez le hall, la tête haute.

Cela fait des mois que vous n'aviez pas respiré aussi librement. Vous vous sentez bien. Vous vous sentez libre.

FIN

Que se serait-il passé
si vous avez fait un choix différent ?
Pour le savoir, recommencez en 1.

23

Vous secouez la tête en soupirant. Malgré le moment hors du temps que vous venez de vivre avec Léa, vous savez que vous n'êtes pas comme elle, que vous n'êtes pas prête à tout quitter sur un coup de tête. Vous avez travaillé beaucoup trop dur au magazine depuis votre arrivée pour tout lâcher aujourd'hui.

— Je suis désolée, murmurez-vous. Mais je ne peux pas faire ça.

Léa hoche la tête. Elle semble déçue, mais n'a pas l'air de vous en vouloir. Tout indique plutôt qu'elle s'attendait à votre réponse.

— Tant pis! déclare-t-elle. Moi j'y vais… Merci pour tout à l'heure, ajoute-t-elle. C'était délicieux…

Vous frissonnez en observant la jeune femme repartir chercher le diable dans le couloir et le ramener dans le salon. Elle le laisse à côté du bar, puis file récupérer son blouson, avant de repasser devant vous en vous faisant un signe de main.

Une nouvelle fois, vous admirez son culot… Même si, pour le coup, il ne vous arrange pas! Revenue à la réalité, vous regardez enfin autour de vous et découvrez avec soulagement, que les choses ont bien avancé. Les différents espaces sont correctement aménagés et délimités, les buffets sont en place…

Un des collègues de Léa s'occupe de vider les cartons pour garnir le bar. Tout roule.

Au moins, vous allez pouvoir rassurer Olivia. Vous prenez une grande inspiration avant d'appuyer sur la touche appel.

— J'ai cru que tu étais morte.

Comme vous vous y attendiez, son ton est glacial. Mais, alors que, d'habitude, ces quelques mots suffiraient à vous plonger dans la panique la plus totale, vous vous sentez étrangement détachée. Peut-être que votre rencontre avec Léa vous a été bénéfique sur plus de plans que vous ne le pensiez?

— Je me suis accidentellement enfermée dans la réserve, dites-vous simplement.

Un silence incrédule accueille votre déclaration. Puis Olivia se reprend et vous bombarde de questions sur l'avancée des préparatifs. Vous enchaînez donc sur la check-list, et êtes ravie de pouvoir cocher toutes les cases en direct.

Votre chef se radoucit.

— De toute façon, on n'en a plus pour longtemps.

La tonalité vous informe qu'Olivia a raccroché. Vous n'en revenez pas de vous en sortir aussi bien.

Vous rejoignez le bar de l'hôtel, où vous vous affalez avec un plaisir non dissimulé dans l'un des larges fauteuils rouges. Alors que vous parcourez la carte des yeux, vous entendez soudain une voix crier votre nom depuis le hall. C'est Anaïs !

Vous n'aviez jamais été aussi heureuse de voir un visage amical. Votre collègue s'installe en face de vous, et vous commandez deux cafés. Bien sûr, vous n'avez aucune intention de lui raconter ce qui vous est arrivé… mais une petite pause vous fera le plus grand bien!

Rendez-vous en 27.

Vous vous relevez précipitamment, lâchant votre verre au passage. Il vient s'écraser sur le sol en béton. C'est comme si le charme de ce moment hors du temps se brisait en même temps que lui : tout d'un coup, vous ne voyez plus autour de vous qu'une réserve poussiéreuse, où flotte une légère odeur de cigarette et de moisi…

— Je suis désolée, Léa, bredouillez-vous. Je…

Devant la mine déconfite de la jeune femme, vous vous sentez un peu coupable. Pour ne pas avoir à affronter son regard, vous rassemblez les morceaux de verre en un petit tas. Quand vous vous redressez, Léa a retrouvé un visage impassible.

— Je vais continuer à appeler, proposez-vous, on ne sait jamais.

Léa hoche la tête.

— Je charge le diable en attendant, répond-elle sobrement.

Vous vous dirigez donc une nouvelle fois vers la porte, et tambourinez avec l'énergie du désespoir. Non seulement parce que vous savez qu'il vous reste des choses à faire pour que la soirée soit parfaite… mais aussi parce que vous ne voulez pas rester coincée ici avec Léa après ce qui vient de se passer.

Au bout de trois minutes, vous sursautez en entendant un bruit derrière la porte. Ça y est, quelqu'un vous a entendu!

Vous reculez pour laisser s'ouvrir la lourde porte. Mais vous ne pouvez retenir une grimace quand vous découvrez l'identité de votre sauveur: c'est Ian Bramfield.

— Que se passe-t-il là-dedans? lance-t-il avec un sourire moqueur. Vous avez besoin d'aide?

Léa arrive en poussant le diable chargé devant elle.

— On était coincées, explique-t-elle en passant devant le chef. Vous êtes vraiment bien tombé, merci!

Ian vous dévisage d'un œil goguenard et vous n'arrivez pas à croire qu'il ne soupçonne rien. Votre trouble se lirait-il sur votre visage?

«Ou bien, il est juste ravi de prendre sa revanche après notre petite altercation de tout à l'heure» vous raisonnez-vous.

Vous passez devant lui sans lui accorder un regard.

Une fois de retour au rez-de-chaussée puis dans le grand salon, vous jetez un coup d'œil à votre portable. Il vous indique un appel en absence d'Olivia.

Vous prenez une grande inspiration avant de l'affronter.

Olivia décroche en 16.

25

Vous secouez la tête.

— C'est gentil, mais je travaille! répondez-vous, d'une voix plus désagréable que vous ne l'auriez voulu.

Il faut dire que votre niveau de stress est en train de grimper en flèche, et la décontraction de la jeune femme ne vous aide pas du tout. Au contraire, vous avez l'impression que tout repose sur vos épaules.

Vous tambourinez à la porte de plus belle, vous interrompant de temps en temps pour tendre l'oreille. Une ou deux fois, vous êtes sûre de percevoir des bruits de pas… mais personne ne répond à vos appels.

Heureusement, la troisième fois est la bonne : vous entendez le bruit de la poignée extérieure qui tourne, et vous reculez pour ne pas risquer de prendre la porte dans la figure.

Vous êtes prête à sauter dans les bras de votre sauveur… mais vous restez figée sur place en découvrant son visage.

Ian Bramfield.

Décidément, le chef est partout… Il semble penser exactement la même chose que vous, et vous dévisage d'un air moqueur.

— Besoin d'aide, mesdemoiselles? lance-t-il, en s'adossant à la lourde porte.

Léa, qui s'est levée en entendant s'ouvrir la porte, s'approche de lui et lui tend le shot de vodka qu'elle vous a proposé un peu plus tôt.

— On faisait une pause forcée! explique-t-elle en riant. La porte s'est refermée sur nous…

Le chef secoue la tête.

— Pas d'alcool avant le service, explique-t-il. Mais tout à l'heure, peut-être? propose-t-il avec un sourire amusé.

— Je n'ai pas prévu de m'attarder! réplique Léa, en retournant vers le diable.

Elle y charge les derniers cartons pendant que vous bredouillez des remerciements à Ian, qui vous coupe la parole, moqueur :

— Les préparatifs avancent comme vous voulez?

Vous levez les yeux au ciel : cet homme a le don de vous exaspérer. Vous êtes soulagée quand Léa passe devant vous en poussant le diable. Vous lui emboîtez le pas après avoir salué votre «sauveur» d'un signe de la tête.

De retour au rez-de-chaussée, votre premier geste est de récupérer votre portable. Et comme vous l'auriez parié, vous avez un appel en absence d'Olivia. Vous inspirez profondément avant de la rappeler.

Elle décroche en 16.

26

Deux heures plus tard, vous faites le pied de grue dans la rue. Enfin, vous apercevez le camion tant attendu. Vous lui faites de grands signes, et il s'arrête juste devant vous, en double file.

— C'est ici la livraison? demande le conducteur par la fenêtre.

— OUI! vous écriez-vous, un peu plus fort que prévu. J'envoie des gens pour vous aider à décharger!

Vous vous précipitez à l'intérieur, manquez de vous prendre les pieds dans les câbles que le DJ est en train de tirer, puis de percuter Erwan, l'assistant du photographe – tous les deux sont arrivés dans l'après-midi.

Enfin, vous repérez les deux costauds de l'équipe déco, à qui vous faites signe de vous rejoindre.

— Les *gifts bags* sont là! expliquez-vous aussitôt. Il faut les décharger et les entreposer dans l'espace vestiaire, OK?

Vous vous dirigez ensuite vers les hôtesses chargées de l'accueil pour leur expliquer ce qu'elles doivent en faire.

En une dizaine de minutes, tout est réglé. Vous vous asseyez sur une des rares banquettes disposées dans le grand salon en soupirant.

«Cette histoire de sacs a bien failli m'achever...»

Vous consultez l'heure sur votre portable : le timing est parfait. Les autres membres de la rédaction ne devraient pas tarder à arriver, et il reste encore trente minutes avant le début officiel de la soirée. Tous les prestataires sont présents et briefés. Vous pouvez souffler.

Cet après-midi a été un vrai cauchemar. Et vous êtes certaine qu'Olivia ne prendra même pas la peine de vous remercier... Vous décidez d'aller boire un café au bar de l'hôtel, histoire de vous extraire quelques minutes de l'effervescence du grand salon.

Le bar, où vous retrouvez l'ambiance feutrée particulières aux palaces, est presque désert. Vous vous y laissez tomber dans un énorme fauteuil rouge. Alors que vous parcourez machinalement la carte, vous entendez soudain une voix vous appeler.

Vous relevez la tête et apercevez Anaïs, qui se précipite vers vous.

— Alors ?! vous interroge-t-elle. Tu as survécu ?

Vous vous contentez de grimacer. Elle hoche la tête, l'air compatissant.

— Je ne te raconte même pas l'ambiance au magazine : ils viennent à peine de boucler le shooting de la couv' !

Ah oui ! La couverture... Vous aviez presque oublié cette histoire.

— Ce sera qui finalement ?

— Nicolas Liand, le footballeur!, vous annonce Anaïs avec un grand sourire. Et avant que tu demandes : oui, il est aussi sexy en vrai qu'à la télé! Vous riez toutes les deux.

Profitez de votre pause avant l'arrivée du reste de l'équipe en 27.

27

Après une vingtaine de minutes de pause bien méritée, vous quittez le confortable fauteuil du bar pour retourner dans le grand salon. La réception commence officiellement dans dix minutes, il est temps d'aller faire une dernière inspection des lieux…

Une fois passées les portes du grand salon, Anaïs marque un arrêt et se tourne vers vous :

— Tu as vraiment fait du beau boulot…

Et effectivement, la grande salle est transformée. Entièrement décorée aux couleurs de *Yes*, elle est maintenant divisée en plusieurs espaces : le bar, juste à votre droite en entrant, la mini-scène sur votre gauche, puis le buffet, dressé au centre, et enfin au fond, près de l'entrée par laquelle arriveront les invités, l'espace photo et le vestiaire. Tout est en place.

Vous apercevez vos collègues, toutes sur leur 31, en train d'admirer les affiches ou les petits fours. C'est à ce moment-là que vous vous souvenez de votre tenue… Vous vous avancez jusqu'au bar derrière lequel trône un grand miroir pour tenter d'évaluer les dégâts.

— Je ne peux pas rester comme ça !

Votre robe noire est tachée, votre chignon défait et vous repérez même une coulée de mascara sous votre œil gauche…

Anaïs essaie tant bien que mal de vous rassurer.

— Je suis sûre qu'en te rafraîchissant un peu, tu seras parfaite. Et puis vois le bon côté des choses : tu portes une robe noire. C'est un peu l'uniforme, ce soir !

Elle fouille ensuite dans son grand sac à main et en sort une trousse à maquillage.

Top tard. Olivia est là. Heureusement, en grande discussion avec Mademoiselle, elle ne vous a pas encore vue. D'ici quelques minutes, les portes seront officiellement ouvertes et les premiers invités feront leur entrée. Le dragon en chef se fera un plaisir d'accueillir les VIP. Votre présence n'est plus vraiment indispensable… « Peut-être même que je serais plus utile en coulisses », vous dites-vous. Vous pourriez très bien passer la soirée dans l'ombre, ce qui vous éviterait d'être vue – ou pire, photographiée – dans cet état.

Quand vous faites part de votre idée à Anaïs, elle secoue frénétiquement la tête.

— Tu es folle ? Tu t'es démenée tout l'après-midi, sans parler des semaines précédentes, pour que cette soirée soit parfaite. Tu ne vas quand même pas la rater pour une histoire de robe ?!

Vous soupirez.

Qu'allez-vous décider ?

Aller vous rafraîchir aux toilettes en 28 ?

Ou bien vous retirer « en coulisses » en 42 ?

— Tu as raison, déclarez-vous à Anaïs en attrapant sa trousse de maquillage. De toute façon, je serai invisible pour la plupart des invités…

Anaïs sourit.

— Alors aucune raison de se gâcher la soirée ! Tu as bien bossé, tu as droit à ta part de petits fours et de cocktails maintenant.

Anaïs vous fait signe de vous éclipser au moment même où les premiers invités font leur entrée dans le grand salon du Savert.

Quelques instants plus tard, vous pénétrez dans les toilettes des femmes. La grande pièce est séparée en deux : près de l'entrée, vous découvrez un vrai petit boudoir et, au fond, les cabines fermées qui s'alignent avec de très chics portes blanches ornées de dorures. De grands miroirs recouvrent le mur sur votre droite, au-dessus de trois vasques en marbre clair. Deux petits paniers tressés accueillent des serviettes blanches bien pliées, ornées du monogramme de l'hôtel. De jolis flacons contenant du savon liquide parfumé et de la crème pour les mains remplacent les habituels distributeurs.

En face, le mur est lui aussi couvert de glaces, sous lesquels s'alignent trois petites tables en bois clair et leurs fauteuils rouges. Des miroirs grossissants y ont été disposés – pour faciliter les retouches maquillage probablement. On y trouve également de jolies boîtes de mouchoirs et des bocaux transparents remplis de cotons blancs.

Après vous être lavé les mains, vous vous asseyez devant l'une des tables et ouvrez la trousse d'Anaïs. Vous souriez en découvrant la profusion de crayons, poudres, mini-tubes, pinceaux ou même sprays qu'elle contient. «C'est l'avantage quand on travaille dans un magazine féminin, songez-vous. Les collègues ont toujours de quoi vous dépanner.» À vrai dire, la trousse de secours d'Anaïs contient plus de produits que l'intégralité de votre salle de bain.

Vous commencez par refaire votre chignon pour parvenir à cet équilibre parfait entre le fonctionnel – que vos cheveux soient relevés – et le style – un savant décoiffé, plus flatteur pour le visage et moins sérieux.

Vous passez ensuite au maquillage : après avoir retiré les restes de votre mascara, vous repartez de zéro. Une base de fond de teint, de l'anticerne, un peu de poudre, du blush, du crayon autour des yeux et une nouvelle touche de mascara… Vous êtes loin de la sophistication de certaines de vos collègues, mais, au moins, vous êtes présentable, et vous vous en contenterez pour ce soir.

Reste le problème de la robe… Vous frottez avec un peu d'eau les traces les plus visibles, mais vous ne pouvez rien faire contre les plis.

«Tant pis. De toute façon, d'ici une heure ou deux, tout le monde sera un peu froissé…»

Vous en profitez pour faire un tour aux toilettes. Vous venez de vous enfermer dans un des box quand vous entendez quelqu'un pousser la porte de la pièce. Vous tendez l'oreille : les pas semblent hésitants. Soudain, un grand bruit résonne, aussitôt suivi par une voix d'homme qui profère un chapelet d'injures.

Pétrifiée par cette intrusion, votre premier réflexe est de ne pas bouger d'un cil. Mais vous vous reprenez rapidement : après tout, c'est l'inconnu qui est dans son tort, vous êtes dans les toilettes des femmes ici !

«Il s'est peut-être fait mal?» songez-vous. Vous prenez votre courage à deux mains, et vous décidez à sortir de votre cabine. Vous ouvrez prudemment la porte et avancez le plus discrètement jusqu'à l'espace boudoir.

Un homme en costume est assis par terre, la tête entre ses mains. Il marmonne mais vous ne comprenez pas ce qu'il dit. Un des fauteuils est renversé à côté de lui.

Le jeu des miroirs vous permet d'apercevoir son visage. «C'est bizarre, sa tête me dit quelque chose…» vous dites-vous. Cela dit, il n'y a rien d'étonnant : selon toute probabilité, c'est un invité de la soirée. Vous avez donc toutes les chances de l'avoir déjà croisé quelque part ou au moins vu en photo… Mais une chose est sûre : ce monsieur a beaucoup trop bu. Vous hésitez : peut-être devriez-vous sortir discrètement et prévenir la sécurité de l'hôtel? On ne sait jamais, l'alcool peut rendre violent. Imaginons que l'homme fasse un scandale dans le grand salon. Ce ne serait pas un bon démarrage pour la soirée.

«En même temps, il n'a pas l'air agressif, remarquez-vous. Plutôt désespéré.» Vous pourriez aussi aller lui parler, peut-être même lui proposer votre aide. Mais dans ce cas, il est possible que vous en ayez pour un bout de temps, alors que la soirée a déjà commencé.

«Je ne vais pas rester cachée ici deux heures!» vous sermonnez-vous.

Quelle solution préférez-vous?

Prévenir la sécurité en 29?

Ou bien proposer votre aide à l'inconnu en 30?

29

«Je ne viens pas de passer un quart d'heure à me maquiller pour risquer de me faire vomir dessus par un mec complètement bourré», décidez-vous. Pour quitter la pièce le plus discrètement possible, vous ôtez vos ballerines noires.

Retenant votre respiration, vous faites un pas, puis deux, vos chaussures à la main. La porte n'est qu'à quelques mètres de vous, en trois enjambées rapides, vous devriez l'atteindre.

— Bonsoir…

Aïe, l'homme vous a repéré. Vous faites volte-face avec un sourire crispé.

L'homme a le visage relevé vers vous, une main plongée dans ses cheveux châtains comme pour soutenir sa tête, l'autre tente de desserrer sa cravate.

— Je suis chez les femmes, c'est ça? demande-t-il avec un petit rire.

Et c'est ce rire qui vous fait soudain comprendre qui est l'homme qui se trouve en face de vous.

Il s'agit de Vincent Bazin, le présentateur du journal de 20 heures!

Vous imaginez la tête que les gorilles de la sécurité auraient faite en venant récupérer un dangereux maniaque dans les toilettes des femmes… pour se trouver nez à nez avec un journaliste célèbre et respecté!

Pour le coup, ça aurait pu faire un vrai scandale, le genre dont sont friands les journalistes people… Vous n'avez pas le choix : vous allez devoir gérer cette situation du mieux possible.

— Vous avez besoin d'aide? demandez-vous en vous avançant prudemment.

Vincent Bazin écarquille les yeux et bredouille :

— Pas du tout… Je vais parfaitement bien.

C'est à votre tour de rire. Vous vous accroupissez à la hauteur du présentateur.

— Vous êtes assis par terre dans les toilettes des femmes, articulez-vous le plus clairement possible. Et vous avez l'air d'avoir un peu trop bu.

Il renifle et secoue la tête.

— Je n'ai rien bu!

Son ton indigné vous ferait rire si son visage n'était pas si sincère.

— Ça ne me regarde pas, de toute façon, répondez-vous doucement. Vous croyez que vous pouvez marcher?

L'homme fait une tentative pour se relever seul, mais retombe lourdement. Vous soupirez. Il fait une bonne tête de plus que vous, impossible de le soulever. Mais s'il arrive à prendre appui sur vous, ça devrait aller…

Aidez-le à se relever en 31.

L'homme vous semble plutôt pitoyable, assis sur le luxueux carrelage. Triste et seul plutôt que dangereux.

Cédant à une impulsion, vous vous dirigez vers lui.

— Monsieur? Ça va? Vous avez besoin d'aide?

Il semble surpris de vous voir surgir de nulle part et vous dévisage, les yeux écarquillés, sans répondre.

Vous vous accroupissez pour vous mettre à sa hauteur et répétez vos questions.

Cette fois, l'homme hoche la tête.

— Je ne sais pas ce qui m'arrive, bredouille-t-il.

Il semble émerger du brouillard dans lequel il flottait, et vous voir pour la première fois. Son sourire dévoile une rangée de dents parfaitement alignées à la blancheur éclatante. Son physique de jeune premier contraste étrangement avec son état. Mais c'est sa voix qui vous marque. Vous êtes certaine de l'avoir déjà entendue. Elle vous est même familière. Perplexe, vous vous relevez pour attraper une petite serviette, que vous passez sous l'eau froide. Vous l'essorez, puis la tendez à l'homme.

— Je pense que vous avez un peu trop bu, dites-vous doucement. Passez-vous ça sur le visage, ça devrait vous faire du bien.

— Merci, murmure l'homme en s'exécutant.

Alors que son visage émerge de sous la serviette, vous réalisez enfin que vous connaissez cet homme : c'est Vincent Bazin, le présentateur du journal télévisé !

Vous vous félicitez de ne pas avoir alerté la sécurité. Vous imaginez d'ici le scandale dont se seraient régalés tous les journaux… Le lancement de la nouvelle formule de *Yes* serait passé complètement à la trappe.

— Ça va mieux ? demandez-vous.

— Oui… murmure-t-il. Mais vous savez, je n'ai rien bu du tout.

Vous le regardez, perplexe. Son visage respire la sincérité, mais son état ne laisse pas vraiment place au doute. Peut-être est-il dans un état d'ébriété si avancé qu'il ne se souvient même plus avoir bu ?

Vous vous mordez la lèvre pour ne pas sourire : son air penaud et ses cheveux en bataille le rendent assez irrésistible. «On dirait un petit garçon pris en faute», vous dites-vous.

Vous lui tendez la main.

— Vous allez vous appuyer sur mon épaule, OK ? Et ensuite, vous me laissez vous conduire là où vous pourrez vous faire examiner par le médecin de l'hôtel ?

Vincent Bazin hoche la tête, toujours sonné. Vous vous avancez, un peu intimidée à l'idée d'approcher la star du 20 heures. Enfin… de le soulever !

Aidez-le à se lever en 31.

31

Vincent Bazin saisit la main que vous lui tendez et vous vous penchez pour qu'il s'appuie sur votre épaule. Son poids manque de vous faire basculer en avant, et vous devez lutter pour vous redresser. Heureusement, une fois sur ses pieds, le présentateur réussit tant bien que mal à se tenir debout.

Le bras gauche passé autour de vos épaules, tout son corps repose sur vous. Vous rougissez, gênée par cette proximité soudaine avec un inconnu.

Un détail vous intrigue : il ne sent pas l'alcool. Vous étiez persuadée que son haleine serait chargée de relents révélateurs… mais tout ce que perçoivent vos narines, c'est son parfum frais.

«Et s'il disait la vérité?», vous demandez-vous en le guidant lentement vers la porte.

Votre objectif est de passer suffisamment discrètement dans le grand salon pour qu'aucun des journalistes présents ne repère Vincent Bazin. Heureusement, la porte des toilettes n'est pas très loin de celle qui donne sur le couloir. Et même si elle est fermée au public, pour vous, ce ne devrait pas poser problème.

«C'est l'avantage de s'occuper de l'organisation!», vous dites-vous.

— Essayez de ne pas avoir l'air trop ivre, soufflez-vous au présentateur, qui vous regarde, éberlué. Faites comme si nous étions un couple, proposez-vous. Et débrouillez-vous pour cacher votre visage!

Vincent Bazin acquiesce : il semble avoir compris, mais ses gestes sont encore maladroits. Il se penche vers vous, le visage enfoui dans votre cou comme s'il vous chuchotait quelque chose à l'oreille.

Son souffle sur votre peau ne fait qu'accroître votre gêne, mais vous n'avez pas le temps de vous poser des questions : il faut y aller si vous ne voulez pas risquer de croiser quelqu'un dans les toilettes des femmes…

Vous franchissez la porte avec difficulté, mais heureusement, une fois de retour dans le grand salon, vous vous rendez compte que personne ne vous prête attention. Le buffet est servi, le bar est pris d'assaut et la musique oblige tout le monde à hausser la voix.

Vous apercevez Olivia au stand du photographe, évidemment. Elle vous tourne le dos. Un groupe de rédactrices se trouve au bar, à quelques mètres de vous. Enfin, vous repérez Anaïs, à qui vous faites signe de s'approcher.

Elle jette un regard interrogateur vers l'inconnu pendu à votre cou, mais vous ne lui laissez pas le temps de vous questionner.

— S'il te plaît, tu peux prévenir le vigile que je dois passer par la grande porte?

— OK! vous répond-elle sur un ton qui laisse deviner sa frustration que vous ne lui en disiez pas plus.

Quelques instants plus tard, vous êtes dans le couloir.

— C'est bon, vous pouvez vous redresser, chuchotez-vous à Vincent Bazin.

Il relève la tête avec difficulté et bredouille des remerciements d'une voix pâteuse.

Vous rejoignez l'accueil laborieusement, faites asseoir votre «fardeau» sur un fauteuil et demandez au concierge de bien vouloir appeler le médecin de l'hôtel, qui arrive rapidement.

Après de brèves explications, ce dernier vous congédie gentiment : vous n'êtes ni la famille ni la petite amie, vous n'avez donc aucune raison de rester…

Vous ne pouvez vous empêcher d'être un peu vexée : vous l'avez sauvé d'un scandale, tout de même !

Mais une fois de retour dans le couloir qui mène au grand salon, vous poussez un soupir de soulagement. Peut-être allez-vous enfin pouvoir prendre un verre ?

Faufilez-vous dans le grand salon en 32.

32

Vous tombez à pic : le P.-D.G. du groupe de presse auquel appartient *Yes* vient de se placer devant le pupitre pour faire son discours. La musique a cessé, on entend plus dans la salle que quelques murmures sporadiques.

C'est la première fois que vous voyez Christophe Torianni : jusqu'à aujourd'hui, vous ne saviez même pas à quoi il ressemblait. Il faut dire qu'il ne se montre jamais dans les bureaux et qu'il n'a jamais manifesté un intérêt particulier pour les magazines féminins.

Le moins qu'on puisse dire, c'est que son physique vous surprend. D'abord parce qu'il est nettement plus jeune que ce que vous imaginiez, mais aussi parce qu'il dégage un charme évident. Le charisme des hommes de pouvoir, sans doute…

Vous attrapez une coupe de champagne sur le plateau du serveur qui passe à côté de vous et cherchez Anaïs du regard dans l'assistance. Elle n'est qu'à quelques mètres, et vous vous faufilez dans la foule pour la rejoindre.

— Tiens, je pensais que tu t'étais perdue en route…

C'est la voix d'Olivia… Vous n'aviez pas vu qu'elle se tenait à côté d'Anaïs. Elle paraît plutôt calme, vous tentez donc un petit sourire. Votre collègue vous adresse un petit geste d'excuse. Vous haussez les épaules. «De toute façon, je n'allais pas pouvoir l'éviter toute la soirée», vous dites-vous.

Christophe Torianni commence son discours. Vous n'écoutez pas un mot de ce qu'il dit, préférant vous concentrer sur ce qui se passe dans la salle. Tout semble se dérouler sans anicroche. Vous avez fait du bon boulot : vous vous accordez une grande gorgée de champagne pour fêter ça. Vous allez pouvoir souffler, et peut-être même profiter un peu de la soirée, qui sait?

Malheureusement, il ne vous faut pas longtemps pour perdre vos illusions. À peine le discours terminé, Olivia trouve mille corvées à vous confier. Vous passez l'heure suivante à courir dans tous les sens. Vous avez la nette impression qu'elle cherche à vous faire payer quelque chose… Le problème, c'est que vous ne savez absolument pas quoi!

— Je vais voir Karl, vous annonce soudain Olivia, en désignant le célèbre couturier, qui vient d'arriver dans le grand salon. Va lui chercher un Pepsi, il ne boit plus que ça!

Pas le temps de protester, Olivia a déjà tourné les talons. «Et pourquoi tu ne demandes pas ça à un serveur, hein?!»

En soupirant, vous vous dirigez vers le bar en 33.

Après vous être frayé avec difficulté un chemin parmi les invités, dont certains sont déjà bien éméchés, vous parvenez enfin à attirer l'attention du barman.

— Un Pepsi, s'il vous plaît! hurlez-vous, pour tenter de vous faire entendre malgré la musique assourdissante.

Vous êtes ravie de constater que le set du DJ plaît: c'est vous qui l'avez suggéré à Olivia. Non pas que vous espériez des remerciements, mais s'il n'avait pas été à la hauteur, elle n'aurait pas manqué de vous le reprocher.

En attendant votre commande, vous vous accoudez au bar, dépitée. «Si c'était pour servir des boissons, j'aurais pu m'éviter cinq années de fac…», songez-vous. Vos rêves de grand reporter vous semblent plus loin que jamais.

Vous êtes plongée dans vos pensées quand vous sentez soudain une tape sur votre épaule. Vous vous retournez, espérant faire face à Anaïs, mais vous vous retrouvez nez à nez avec Vincent Bazin.

Ce dernier a retrouvé le sourire éclatant pour lequel il est réputé, et, surtout, il semble parfaitement sobre. Vous écarquillez les yeux : quand vous l'avez quitté il y a une heure à peine, il arrivait à peine à tenir debout !

Le présentateur vous tend une coupe de champagne, que vous acceptez machinalement.

— Je tenais à trinquer avec mon ange gardien, vous dit-il à l'oreille.

Vous froncez les sourcils.

— Vous êtes sûr que c'est raisonnable de recommencer à boire ? demandez-vous, en levant votre coupe pour être sûre de vous faire comprendre dans le brouhaha ambiant.

Vincent Bazin éclate de rire.

— Vous ne me croyez toujours pas, alors ? Je dois reconnaître qu'à votre place, je penserais sans doute la même chose… Venez avec moi, je vais vous raconter ce qui m'est arrivé !

— Votre Pepsi, mademoiselle !

Vincent Bazin lève un sourcil interrogateur.

— Vous ne buvez pas d'alcool ?

C'est à votre tour d'éclater de rire.

— C'est une longue histoire, soupirez-vous. Si vous voulez bien m'excuser une minute ? Je reviens tout de suite !

Vous vous éloignez en souriant, le verre de Pepsi à la main. C'est drôle, vous vous sentez très à l'aise avec lui à présent. Comme si ce secret partagé abolissait la frontière qui le sépare normalement du commun des mortels…

Vous repérez Olivia, riant à gorge déployée devant un Karl qui – selon vous – semble perpétuellement constipé. Vous les rejoignez et tendez le plus discrètement possible le verre de Pepsi.

Olivia l'attrape sans même vous prêter attention, et vous en profitez pour rebrousser chemin avant qu'elle ait l'idée de vous demander un autre «service». Vous faites quelques pas, mais déjà, Vincent Bazin vient à votre rencontre. Il vous prend par le bras et se penche pour vous chuchoter à l'oreille :

— Je vous enlève !

Vous vous laissez entraîner, savourant les regards que posent sur vous tous ceux que vous croisez. Vous pouvez presque lire dans leurs pensées.

«Mais qui est cette fille au bras de Vincent Bazin ? Tu la connais, toi ?»

Vous comprenez vite que le présentateur vous entraîne vers l'espace VIP. Vous jetez un rapide coup d'œil autour de vous dans l'espoir d'apercevoir Anaïs… Mais c'est sur le visage d'Oivia affichant un air abasourdi que vous tombez. Et il compense largement toutes les brimades qu'elle vous a infligées ce soir.

Vous lui adressez votre sourire le plus innocent avant d'entrer dans l'espace VIP en 34.

34

Vous ne pensiez pas avoir l'occasion de pénétrer dans le petit salon réservé aux VIP pendant la soirée... Mais vous comptez bien savourer cette chance. Qui plus est, au bras du présentateur élu plusieurs fois «journaliste le plus sexy de l'année»! À l'intérieur, l'atmosphère est nettement plus agréable que dans le grand salon: la musique est assourdie, la lumière tamisée, et les conversations se font à voix basse.

Chaque table est flanquée d'une banquette rouge, d'un ou deux fauteuils crapauds assortis, et séparée des autres par de grandes compositions florales. Les boiseries contrastent avec le mobilier moderne, et notamment avec le design très contemporain du bar installé à l'entrée.

Vous essayez d'être la plus discrète possible en observant les convives: qui donc parmi les nombreuses stars conviées par Olivia a fait le déplacement? Vous repérez une actrice hollywoodienne au faîte de sa gloire et un chanteur français vieillissant. Il vous semble même reconnaître la ministre de la Culture et de la Communication, assise à une table au fond.

Un serveur vient vous saluer et propose de vous conduire à une table. Vous souriez en constatant que le service est impeccable : vous pourrez féliciter l'agence. Soudain, vous écarquillez les yeux : assis à l'une des tables à votre gauche, vous venez d'apercevoir Nicolas Liand, le footballeur, qui – comme vous l'a appris Anaïs – a posé pour la nouvelle couverture. Rien d'étonnant donc à ce qu'il soit à la soirée de lancement… En revanche, c'est son invitée qui vous a surprise : Charlotte, l'assistante mode !

Vos regards se croisent et elle vous lance un petit sourire triomphant, tout en posant la main sur l'épaule du footballeur. Puis, elle aperçoit l'homme qui vous accompagne, et c'est à son tour de rester bouche bée. Mais elle se reprend très vite et lève un sourcil méprisant, comme pour vous envoyer un message : « le mien est plus célèbre que le tien » !

Vous vous asseyez sur une des banquettes, et Vincent Bazin, plutôt que de s'installer sur le fauteuil en face de vous, choisit de vous y rejoindre avant de commander une bouteille de champagne.

Vous lui adressez un regard interrogateur.

— Alors ? demandez-vous.

Le présentateur sourit.

— Vous voulez que je vous explique par quel miracle je suis parfaitement sobre alors que vous m'avez quitté saoul à faire peur il y a une heure ?

Vous hochez la tête.

— Je vous l'ai dit, reprend-il, plus sérieusement. Je n'avais rien bu. Je ne suis pas du genre à me saouler, surtout seul, et en début de soirée. Quand vous m'avez trouvé…

— Dans les toilettes des femmes, précisez-vous, avec un sourire moqueur.

— Dans les toilettes des femmes, c'est vrai, reprend-il avec un petit rire. Vous m'avez pris pour un pervers en plus d'un alcoolique, c'est ça?

— Je me méfie des stars du petit écran, chuchotez-vous. On raconte qu'elles prennent toutes de la cocaïne…

— Et voilà que je suis drogué, maintenant. J'ai l'impression que vous avez une bien mauvaise image de moi, mademoiselle…

Vous en profitez pour vous présenter, ce que vous n'aviez pas eu l'occasion de faire avant.

— Oh, mais vous êtes journaliste vous aussi, alors?

— Pas vraiment, soupirez-vous. Vous vous souvenez du Pepsi, tout à l'heure?

Il hoche la tête en fronçant les sourcils.

— Eh bien, c'est plutôt ça, mon boulot chez *Yes*. Larbin. Ou esclave. Enfin, vous voyez l'idée.

— Je comprends, dit-il en faisant la moue. Mais je ne veux pas vous gâcher la soirée : revenons à nos moutons. Ma carrière de pervers alcoolique, drogué et dégénéré!

Vous éclatez de rire au moment où le serveur dépose le seau à champagne et deux coupes sur votre table. Vincent Bazin le remercie d'un signe de tête et vous sert lui-même.

Il lève son verre.

— À notre rencontre!

Vous baissez les yeux en rougissant. Soudain, l'atmosphère ne vous semble plus aussi bon enfant, et vous remarquez que le regard que Vincent Bazin porte sur vous n'est pas seulement amical.

«Il est intéressé. JE l'intéresse!» comprenez-vous, stupéfaite.

Il boit une gorgée puis reprend:

— En réalité, vous avez été témoin d'une réaction à des médicaments. Ce que vous avez pris pour une bonne cuite était un effet secondaire d'un traitement que j'avais pris un peu plus tôt.

— Vous êtes malade? demandez-vous, inquiète.

— Rien de grave, vous rassure-t-il avec un grand sourire. Juste une rage de dents très douloureuse. D'ailleurs, je ne vais pas finir ça, précise-t-il, en reposant sa coupe de champagne. Mais ne vous privez pas à cause de moi!

Vous ne vous le faites pas dire deux fois, et videz votre verre. Le champagne est délicieux, bien meilleur que celui auquel vous êtes habituée. Vous vous intéressez à l'étiquette sur la bouteille.

— C'est un Bollinger Grande Année, vous explique Vincent.

— Excellent, approuvez-vous alors qu'il vous ressert une coupe.

— Racontez-moi ce qui vous a conduit chez *Yes*.

Vous soupirez.

— Quand j'étais petite, je voulais être grand reporter. Couvrir les conflits armés, dénoncer les fraudes électorales...

Désinhibée par le champagne, vous vous lancez dans le récit de vos études, de vos stages, de votre recherche d'emploi. La conversation est facile, naturelle. Vincent pose les bonnes questions, connaît la plupart des personnes dont vous lui parlez. Vous êtes surprise de voir qu'il n'a pas l'air de s'ennuyer une seconde, ou de chercher à écourter la discussion. Il apprécie visiblement votre compagnie.

Et vous-même êtes étonnée de découvrir un homme drôle, fin. Son charisme résiste à l'épreuve de la vraie vie – même pour vous qui l'avez vu en mauvaise posture ! Et puis ses cheveux châtains en bataille et un peu trop longs, son regard clair, et surtout son sourire extralarge… Il est vraiment très beau.

— Ça vous dirait de bouger ? vous demande-t-il soudain.

— Pour aller où ?

J'aimerais vous inviter à prendre un bain de minuit, chuchote-t-il à votre oreille.

Devant votre air stupéfait, le présentateur ajoute :

— Vous savez que le Savert a une piscine intérieure magnifique ?

Vous secouez la tête : ce n'est pas comme si vous étiez une habituée des lieux !

— Alors ? insiste Vincent Bazin. Qu'en dites-vous ?

Vous le regardez, hésitante. Il vous plaît beaucoup. Les quelques verres que vous avez bus aidant… Mais ne risquez-vous pas de le regretter demain ? De porter l'étiquette de celle qui a couché avec le présentateur du 20 heures ? Et comment le vivrez-vous, d'ailleurs, de le voir tous les soirs à la télé ?

Vous ne pouvez pas faire attendre Vincent plus longtemps : voulez-vous le suivre en 36 ?

Ou bien préférez-vous décliner sa proposition en 35 ?

35

Malgré tout le charme de Vincent – ou plutôt à cause de ce charme, qui le place dans une catégorie bien au-dessus de la vôtre —, vous préférez refuser l'invitation. Votre rêve, c'est de devenir journaliste, pas de coucher avec la star du 20 heures. Vous voulez réussir grâce à votre travail… Et si un jour vous y parvenez, vous ne voulez pas que la rumeur d'une «promotion canapé» vous colle à la peau.

— Merci, mais je vais rentrer, murmurez-vous, en secouant la tête.

L'air déçu qu'affiche interlocuteur vous fend le cœur, mais il ne fait que vous confirmer ce que vous dit la petite voix dans votre tête : ce n'est pas seulement par principe que vous refusez, cet homme vous plaît beaucoup trop. Demain, il s'intéressera à une autre. Et vous serez à ramasser à la petite cuillère.

«Je n'ai pas besoin de ça.»

Vous vous levez un peu trop rapidement, et le petit salon tangue quelques instants. Vous souriez à Vincent.

— J'ai été très heureuse de vous rencontrer, même si les circonstances ont été un peu… particulières !

— Moi aussi. Ravi d'avoir été sauvé par une charmante jeune femme. Et d'être le premier à découvrir une grande reporter. Je suis sûr que j'entendrai parler de vous très bientôt. D'ailleurs…

Il fouille dans la poche intérieure de son costume et en sort une carte de visite qu'il vous tend.

— Appelez-moi. Je vous aiderai à quitter *Yes*.

Vous prenez la carte, incrédule.

— Vraiment?

— Ne faites pas cette tête-là! Vous pensiez qu'il fallait coucher avec moi pour que je vous propose du boulot? Décidément, il va falloir que je travaille sur mon image!

Son rire franc vous rassure. Vous lui lancez un sourire d'excuse, puis rangez soigneusement sa carte dans votre sac à main.

— À bientôt, alors!

Vincent se rassoit et vous vous éloignez, le sourire aux lèvres. La soirée a peut-être mal commencé, mais ça valait vraiment le coup de s'accrocher… Vous sortez de l'espace VIP et traversez le grand salon. La soirée est bien avancée, et l'ambiance semble toujours aussi bonne… même si un peu plus désordonnée. Des jeunes femmes dansent pieds nus, leurs talons aiguilles à la main ou posés dans un coin. Les cravates sont desserrées, et ça et là, des couples d'un soir s'embrassent.

Plus rien ne vous retient et vous décidez de vous éclipser discrètement.

Vous quittez le Savert en 39.

36

Vous relevez la tête vers Vincent et lui lancez un regard de défi.

— D'accord!

Vous lisez la surprise dans ses yeux: il ne s'attendait visiblement pas à ce que vous acceptiez. Mais il n'est pas décontenancé bien longtemps. Il se lève et vous tend la main.

— Suivez-moi…

Vous attrapez votre sac à main et vous levez pour le suivre. Ensemble, vous traversez le petit salon. Cette fois, vous vous efforcez d'ignorer dignement les regards qui se posent sur vous.

«Peu importe ce qu'ils pensent de toi!» vous répétez-vous en boucle pour vous donner du courage.

Une fois dans le grand salon, vous fendez la foule et repérez quelques-uns de vos collègues, mais aucune trace d'Olivia. «Tant mieux», songez-vous. Qui sait quelle sera sa réaction après vous avoir vu accompagner Vincent Bazin dans le salon des VIP? Quelque chose vous dit qu'elle ne sera pas ravie… Sauf si elle pense pouvoir utiliser la chose à son avantage d'une façon ou d'une autre. Vous secouez la tête, comme pour chasser cette idée : vous aurez tout le temps de penser à ça demain !

Vous arrivez devant la double porte qui donne sur le couloir de l'hôtel et le vigile vous laisse passer.

Arrivés dans le hall, Vincent vous demande de l'attendre et file voir le concierge. Ils discutent quelques minutes, puis l'homme tend une carte magnétique au présentateur. Celui-ci revient vers vous, tout sourire.

— Je vous enlève !

Il vous prend la main et vous conduit vers l'ascenseur. Ce contact à la fois innocent et chargé d'une grande intimité vous fait frissonner. De nouveau, vous sentez son parfum frais. Vous rougissez en repensant au poids de son corps sur votre épaule, tout contre vous. Vous aimeriez qu'il vous embrasse, là, dans l'ascenseur qui s'élève rapidement.

Mais trop tard, vous êtes déjà arrivés.

— Par ici !

Vous suivez Vincent le long d'un corridor débouchant sur une porte imposante qu'il ouvre avec à la carte magnétique.

Vous vous arrêtez sur le seuil, stupéfaite. La piscine est sublime. Étroite et longue, elle est entourée de spots lumineux au sol qui projettent une lumière tamisée. L'eau bleue scintille dans un bassin de pierre grise, le tout donne l'impression d'un lagon perdu au milieu de roches volcaniques.

De luxueux transats vous rappellent que vous n'êtes pas sur une île déserte. Vincent vous observe, fier de son effet.

— Ça valait le coup, non ?

Vous hochez la tête sans un mot. Vous êtes de plus en plus troublée. Intimidée comme jamais, vous attendez la suite avec une impatience mêlée de crainte.

— On va se baigner? demande le présentateur.

Sans attendre votre réponse, il ôte sa cravate puis laisse tomber sa veste sur un des transats où il s'assoit ensuite pour enlever ses chaussures. Vous aviez imaginé que la question des maillots de bain serait posée à un moment ou à un autre… Peut-être pourriez-vous encore retourner à la réception pour demander qu'on vous en prête un? Vous faites la moue : vous sentez bien que cela romprait le charme du moment. «Un bain de minuit» a dit le présentateur. C'est censé être inhabituel, spontané.

Vous commencez par enlever vos ballerines. Le contact de la pierre chaude est agréable sous vos pieds nus. Vous vous sentez loin, très loin de *Yes* et de votre quotidien survolté.

Vincent termine de déboutonner sa chemise. Vous baissez les yeux, non sans avoir aperçu son torse musclé… Vous entendez le bruit d'une boucle de ceinture, puis son pantalon tombe sur le sol. Un grand bruit d'eau vous fait relever la tête : il vient de sauter dans la piscine.

— Elle est délicieuse! s'écrie-t-il.

Il semble si heureux que vous vous en voulez de vous poser tant de questions. Vous prenez votre courage à deux mains et faites passer votre robe par-dessus votre tête, avant de la jeter sur le transat où vous avez déposé votre sac à main.

«Heureusement que je porte des sous-vêtements corrects!» vous dites-vous. C'est un ensemble noir très simple, en coton. On pourrait presque penser que vous êtes en maillot de bain.

Vous vous dépêchez de descendre les quelques marches qui mènent dans la piscine. Une fois votre corps presque entièrement immergé, vous vous sentez beaucoup plus à l'aise. Effectivement, la température de l'eau est parfaite, et vous faites quelques brasses avec grand plaisir. Alors que vous vous êtes accrochée au rebord du bassin, Vincent plonge sous l'eau pour réapparaître juste devant vous et s'approche, posant sa main près de la vôtre.

— Vous appréciez? vous demande-t-il.

Son regard, enfantin il y a quelques instants, semble à présent plus sombre. Chargé de désir.

Vous sentez votre cœur s'emballer dans votre poitrine, le sang battre dans vos tempes. Vous ouvrez la bouche pour bafouiller quelque chose, mais Vincent ne vous en laisse pas le temps.

D'une traction de bras, il s'avance vers vous et sa main vient se poser sur votre nuque. Son corps se plaque contre le vôtre, vous sentez la chaleur de sa peau dans l'eau, la fermeté de ses pectoraux contre votre poitrine. Vous levez les yeux vers lui et ses lèvres se posent sur les vôtres. Son baiser est pressant, avide, et vous laisse à bout de souffle.

— J'en avais envie depuis que je vous ai retrouvé au bar, murmure Vincent à votre oreille.

Tout votre corps est tendu, impatient. Vos pensées se bousculent, oscillant entre la satisfaction, l'incrédulité et un insidieux sentiment de ne pas être à votre place.

Le regard que vous lance Vincent est sans équi-voque. Et vous avez tellement envie de vous laisser entraîner…

Abandonnez-vous en 37.

37

Vous secouez la tête pour chasser vos pensées né-gatives. «J'ai peur», comprenez-vous soudain. C'est ça qui vous a fait hésiter. La peur de ne pas être à la hau-teur, la peur de sortir de vos habitudes…

Vous souriez à Vincent et posez une main sur sa nuque pour l'attirer à vous.

— Moi aussi, soufflez-vous juste avant que vos lèvres se touchent.

Encouragé par vos paroles, il vous embrasse avec fougue, vous plaquant contre le bord de la piscine. Le contact de la pierre n'est pas désagréable, mais la margelle de la piscine appuie sur vos omoplates. Pourtant, vous oubliez bien vite ce petit désagrément : la main gauche de Vincent est passée derrière votre dos, et d'un geste habile, dégrafe votre soutien-gorge. Puis, délicatement, elle en fait glisser les bretelles et le sous-vêtement tombe dans l'eau.

La sensation de l'eau sur votre poitrine nue, comme en apesanteur, est grisante. L'excitation fait pointer vos tétons, et Vincent plonge la tête dans l'eau pour en prendre un dans sa bouche. Il l'agace avec la langue, le suce puis le mordille légèrement avant de remonter à la surface pour reprendre sa respiration.

Il vous plaque contre lui et vous embrasse de nouveau. Il picore votre peau de légers baisers, d'abord sur les lèvres, puis sur la joue, le cou, et descend ainsi jusqu'à votre épaule.

Chacun de ses baisers vous arrache un frisson. Ils sont légers, trop légers. Vous avez envie qu'il vous enlace, qu'il vous plaque contre lui, qu'il vous prenne sans vous laisser le temps de réfléchir.

Comme s'il avait compris votre impatience, Vincent lâche le rebord de la piscine et plonge de nouveau sous l'eau. Vous sentez ses mains effleurer votre poitrine, puis votre ventre. Enfin, elles saisissent le haut de votre culotte et la font glisser sur vos jambes. Vous pliez un genou, puis l'autre, pour l'aider à vous l'enlever complètement.

Vous frissonnez au contact de l'eau sur votre sexe nu. Quand Vincent émerge et vous pousse contre le bord du bassin, vous sentez nettement son érection à travers le tissu de son boxer. Constater l'effet que vous lui faites est grisant. Vous oubliez vos peurs, passez vos deux mains derrière sa nuque et remontez vos jambes autour de sa taille, venant appuyer votre bas-ventre contre sa queue durcie.

L'effet est immédiat, Vincent pousse un gémissement rauque et passe une main sous vos fesses pour venir vous plaquer plus fermement encore contre lui, tout en vous embrassant profondément.

Vous poussez un soupir de frustration lorsqu'il s'écarte de vous, quelques instants plus tard. Il vous prend la main et murmure :

— Venez.

Il recule pour rejoindre le côté le moins profond de la piscine. Dès qu'il a pied, il en profite pour ôter rapidement son boxer, puis continue à reculer jusqu'à s'asseoir sur les marches du bassin.

Vous le rejoignez, prenant soin de restée immergée. Vous ne vous sentez pas encore détendue au point de vous montrer entièrement nue devant lui, sans rien pour vous protéger.

Dès que vous êtes assez proche, il vous attire à lui, écarte vos jambes et vous installe sur ses genoux. Vous frissonnez au contact de l'air sur votre poitrine mouillée. Vincent s'en aperçoit et vous plaque contre lui. Son sexe dur presse à l'entrée du vôtre et vous ne pouvez retenir un gémissement. D'un mouvement de bassin, vous venez frotter votre clitoris sur sa queue, provoquant aussitôt une excitation qui vous fait haleter.

Sans cesser d'accompagner les mouvements de votre bassin, Vincent se penche pour lécher votre téton gauche. Ses lèvres l'effleurent, bientôt suivies par sa langue, puis il l'aspire délicatement. Un éclair de plaisir vous parcourt, depuis la pointe de votre sein jusqu'à votre clitoris, sur lequel chaque pression vous rapproche un peu plus de l'orgasme. Vous sentez votre corps se tendre, vos muscles se contracter. Son gland frotte vos lèvres avant de redescendre à l'entrée de votre sexe. Malgré vous, vos mouvements de bassin s'accélèrent et votre main descend se poser sur sa queue pour la maintenir en place, juste sur votre clitoris. Vous fermez les yeux, sentant le plaisir monter, irrésistible, et soudain, vous basculez et jouissez en poussant un grand cri. Une fois la vague de l'orgasme passée, vous vous laissez aller contre Vincent, aussi molle qu'une poupée de chiffon. Vous frissonnez, soudain sensible au froid. Après vous avoir gardée contre lui quelques instants, Vincent passe vos jambes d'un côté, puis un bras dessous et se lève en vous soulevant dans ses bras.

Il l'a fait si facilement que vous vous sentez légère comme une plume. Il vous dépose doucement sur un transat, où il vous couvre d'une épaisse serviette de bain blanche.

À mesure que vous vous réchauffez, vous reprenez vos esprits. Vincent est en train de fouiller dans les poches de son costume. Quelques secondes plus tard, il en sort un préservatif.

— Prête pour un deuxième round? vous lance-t-il avec un regard gourmand.

Pour toute réponse, vous lâchez les bords de votre serviette, qui glisse de chaque côté de votre corps. Nue sur le transat, vous lui souriez.

Vincent s'avance vers vous et vous pouvez alors admirer son corps mince et musclé. Les poils de son torse sont du même châtain clair que sa barbe de trois jours. Votre regard suit la ligne qui descend vers son sexe, toujours dressé. À mesure qu'il s'approche de vous, vous sentez votre désir se réveiller.

Vous attrapez sa main et l'attirez sur le transat. Vous lui laissez à peine le temps de s'asseoir que déjà vous l'enfourchez. Avec un sourire plein de promesses, vous lui prenez le préservatif des mains, et ouvrez son sachet, avant de le dérouler doucement le long de son sexe. Votre caresse lui fait fermer les yeux et vous sentez sa respiration s'accélérer. Vous le repoussez doucement pour qu'il s'allonge sur le transat.

«Cette fois, c'est moi qui prends les commandes.»

Vous profitez qu'il ait les yeux fermés pour l'admirer à votre aise, essayant de graver ce moment dans votre mémoire. Vous soulevez le bassin et guidez sa queue de la main droite jusqu'à l'orée de votre sexe humide. Puis, lentement, très lentement, vous vous abaissez sur lui. Quand son gland pénètre en vous, Vincent pousse un soupir qui exacerbe vos sensations.

Lorsque sa queue est entièrement et profondément en vous, vous vous immobilisez un instant. Les mains posées sur son torse, vous y prenez appui et commencez un lent va-et-vient. Très vite, les gémissements de Vincent résonnent entre les murs de la piscine et il agrippe vos fesses pour accompagner vos mouvements.

Ses poussées rapides et profondes provoquent des ondes de plaisir dans votre ventre. Vous fermez les yeux et rejetez la tête en arrière, concentrée uniquement sur les sensations qui parcourent votre corps.

— Putain que c'est bon! souffle Vincent, en resserrant son emprise sur vos fesses.

Il accélère encore, et après deux dernières poussées, jouit avec un cri rauque. Vous sentez les pulsations de son sexe en vous avant qu'il ne se retire. Vous vous laissez ensuite glisser à côté de lui sur le transat, hors d'haleine.

Peu à peu, la respiration de Vincent se calme. Sans même qu'il ai ouvert les yeux, sa main parcourt votre corps, passant sur vos seins, puis votre ventre, avant de s'aventurer entre vos jambes. Vous vous cambrez

sous l'effet de cette nouvelle caresse. Ses doigts dé-
nichent votre clitoris déjà gonflé et le titillent d'abord
doucement, puis de plus en plus rapidement et fermement. Il ne vous faut pas longtemps avant d'être
emportée par un second orgasme.

Vous sentez aussitôt une fatigue intense s'abattre
sur vous. Le stress de cette journée se conjugue à la
tension de ces dernières minutes, et vous sentez vos
paupières se fermer.

Vincent vous enveloppe de nouveau dans la
grande serviette de bain, puis vous soulève dans ses
bras. Un sourire flotte sur votre visage : vous pourriez
vite prendre goût à être transportée de cette façon…

Vous vous demandez vaguement où il vous em-
mène, mais vous n'avez pas envie de sortir de ce rêve
éveillé. Vous restez donc silencieuse quand Vincent
franchit les portes de la piscine et s'aventure dans le
couloir. Il ne fait que quelques mètres et s'arrête déjà
devant une porte

Quand il y glisse la carte magnétique, vous comprenez qu'il n'a pas seulement demandé la clef de la
piscine, mais aussi pris une chambre.

Vous vous laissez faire lorsqu'il vous dépose sur
l'immense lit moelleux, et vous glisse dans les draps.
C'est un moment d'une telle perfection que vous voudriez qu'il ne s'arrête jamais… Mais la fatigue ne tarde
pas à prendre le dessus, et vous sombrez dans un
profond sommeil.

Le petit déjeuner vous attendra en 38.

38

Vous êtes réveillée par la lumière du soleil. Vous clignez des yeux un instant, cherchant à comprendre où vous vous trouvez. Soudain, les événements de la veille vous reviennent.

Votre premier réflexe est de regarder à côté de vous… Mais vous êtes seule dans le grand lit. Et il semble que vous soyez également seule dans la chambre! Vous tendez l'oreille : aucun bruit ne provient de la salle de bains.

«On dirait bien qu'il a filé à l'anglaise», songez-vous, déçue.

Soudain, on frappe à la porte.

— Room service, petit déjeuner!

Un peu paniquée parce que vous êtes toute nue sous les draps, vous criez :

— J'arrive! Deux secondes!

Vous repérez alors le peignoir blanc marqué du monogramme de l'hôtel posé à côté de vous sur le lit. Vous vous levez et l'enfilez rapidement, faisant tomber quelque chose au passage : une enveloppe!

Vous la ramassez et vous dépêchez d'aller ouvrir.

L'employé de l'hôtel pousse un chariot chargé d'un petit déjeuner pantagruélique. Vous attendez impatiemment qu'il ait terminé de tout installer : vous voulez savoir si l'enveloppe contient bien un mot de Vincent, comme vous l'imaginez.

— Si vous avez besoin de quoi que ce soit, mademoiselle, n'hésitez pas, vous dit l'employé.

— Je dois signer quelque chose ?

— Non, non, monsieur s'est occupé de tout, vous répond l'employé avant de quitter la chambre.

À peine a-t-il refermé la porte que vous déchirez l'enveloppe.

«Désolé, j'ai dû partir tôt. J'espère que le petit déjeuner me fera pardonner de vous abandonner. Je vous laisse ma carte de visite : appelez-moi. Nous cherchons un journaliste pour la rédaction du 20 heures, et je crois que j'ai trouvé la candidate idéale…

V. »

Vous vous laissez tomber sur le lit, incrédule. Non seulement il ne vous a pas planté comme une vulgaire conquête d'un soir, mais en plus, il a envie de vous revoir… et même de travailler avec vous !

Vous croquez dans votre croissant en souriant. Vous imaginez déjà la tête que va faire Olivia quand vous lui annoncerez votre départ…

FIN

Comment se serait déroulée la soirée si vous aviez fait des choix différents ? Pour le découvrir, recommencez en 1.

Vous passez la porte du palace et faites quelques pas à l'extérieur, savourant la fraîcheur de l'air nocturne sur votre visage.

«Une bonne chose de faite!» vous félicitez-vous. Vous ne savez pas ce que vous en dira Olivia, mais de votre point de vue en tout cas, les choses se sont bien déroulées. Les couleurs de *Yes* ont été bien représentées, c'est une soirée dont on devrait parler dans les médias…

Vous décidez d'avancer un peu pour aller chercher un taxi loin des groupes qui sortent régulièrement de la soirée.

«Et celui-là, il passera en note de frais!» décidez-vous.

Vous faites quelques mètres quand, soudain, votre regard est attiré par une silhouette. Un homme dans l'ombre, adossé à une moto.

«Mais… Clément?»

Quelques pas supplémentaires vous permettent de vous en assurer: c'est bien votre ex-petit ami qui vous attend. Clément. Sa fossette. Son sourire. Ses boucles.

Il porte son blouson de motard ouvert sur un T-shirt noir et un jean de la même couleur. Il sait que c'est comme ça que vous le préférez. Quand il joue les *bad boy*…

— Salut, dit-il simplement quand vous le rejoignez.

— Qu'est-ce que… Tu m'attendais?

Même si la réponse vous semble aller de soi, vous avez besoin de l'entendre. Après tout, c'est lui qui vous a quitté. Alors quoi?

Il hoche la tête en silence. Ses yeux vous fixent, fiévreux. Il semble en proie à une émotion intense. Vous sentez que si vous ne le pressez pas, il va enfin se livrer, vous parler, vous expliquer.

— Ça s'est bien passé? demande-t-il, sans répondre à votre question.

— Oui, sans problème…

Il soupire.

— Écoute, je sais que tu t'es consacrée à ce job corps et âme depuis six mois. Que tu voulais prouver que tu pouvais y arriver… Pourquoi, ça je n'en sais rien. Ce que je sais, c'est que ce boulot te détruit à petit feu.

Vous ouvrez la bouche pour protester, mais il lève la main pour vous arrêter.

— Laisse-moi finir. Tu feras ce que tu veux, de toute façon, tu le sais bien. Je voulais juste te dire…

Il se gratte la tête, peinant visiblement à terminer. À vous donner la vraie raison de sa présence sur ce trottoir, au beau milieu de la nuit.

— J'ai réfléchi, et je me suis rendu compte que je ne t'avais pas demandé. Je veux dire, je ne t'ai pas demandé de choisir. Je pensais que tu comprenais. Mais depuis, j'y ai réfléchi. Et je me suis dit qu'il fallait que je te le dise.

Vous ouvrez de grands yeux. Vous croyez comprendre de quoi il parle, mais tout ça est si inattendu que vous restez muette.

— Alors voilà : c'est ce boulot ou moi. Et je veux que tu me choisisses. Je veux… Je t'aime. Mais la vraie toi, pas l'assistante de *Yes* qui s'affame et se ronge les ongles au sang pour des histoires de robe ou de chaussures, putain. Celle qui veut être journaliste.

Clément s'arrête brusquement, comme épuisé par sa tirade. Votre cœur rate un battement quand il vous prend la main, et vous attire vers lui. Son parfum, ses vêtements, sa peau, son cœur que vous sentez battre dans sa poitrine. Tout ça est si familier.

Vous levez les yeux vers lui, et son regard est une question silencieuse.

**Si vous voulez dire oui à Clément,
rendez-vous en 40.**

Sinon, allez en 41.

40

Vous dressant sur la pointe des pieds, vous posez vos lèvres sur celles de Clément. Vous sentez sa surprise, puis ses bras qui vous serrent. Il vous rend votre baiser et vous retrouvez en un éclair une cascade de sensations familières. Sa façon de mordiller votre lèvre inférieure. Sa main qui caresse le creux de vos reins. Vos doigts qui repoussent automatiquement une boucle rebelle qui vous chatouille le front.

Clément se recule brusquement, et vous prend le menton entre les doigts.

— Tu comprends ce que ça signifie? demande-t-il, inquiet.

Vous hochez la tête.

— J'arrête de bosser chez *Yes*, annoncez-vous. Et je cherche un vrai travail de journaliste. Mais je te préviens, tu risques de devoir m'entretenir pendant des mois!

Clément rit, soulagé.

— Ne t'en fais pas pour ça.

Il se penche pour vous embrasser à nouveau, et c'est comme si vous ne vous étiez jamais séparés. Le fait de sentir son corps contre le vôtre vous donne soudain une furieuse envie de rattraper le temps perdu… Au regard que vous jette Clément, vous comprenez qu'il est dans le même état d'esprit que vous. Il vous tend un casque de moto sans rien dire, et vous l'enfilez en souriant.

Quelques minutes plus tard, vous filez dans les rues, les bras serrés autour de sa taille. Le vent autour de vous, la magie des rues illuminées et désertes… vous avez l'impression d'être dans un rêve.

Clément se gare à sa place habituelle, au pied de son immeuble. Votre parcours jusqu'au troisième étage où est situé son appartement est émaillé par de multiples arrêts : vous ne pouvez vous retenir de vous embrasser. Déjà, ses mains se sont attardées sur votre poitrine, sur vos fesses. Vous avez mordillé le lobe de son oreille – vous savez que ça le rend fou.

Quand vous franchissez enfin le seuil de son appartement, vous êtes déjà très excités tous les deux. Vous prenez à peine le temps de claquer la porte avant de vous déshabiller l'un l'autre à une vitesse folle.

Les vêtements volent dans l'entrée, vous laissez tomber votre sac à main sur le parquet. Clément vous entraîne dans le salon, et vous roulez tous les deux sur le tapis, entièrement nus. Sans vous laisser une seconde pour respirer, il descend le long de votre ventre et écarte vos jambes pour s'agenouiller entre elles. Puis il les replie et les pose sur ses épaules.

Vous êtes écartée, entièrement offerte. Il sait combien vous aimez être ainsi, entièrement à sa merci. Il se penche et vous sursautez quand sa bouche entre en contact avec votre sexe, déjà ouvert et trempé. Sa langue explore vos petites lèvres, puis remonte pour aller laper votre clitoris, vous arrachant des cris de plaisir. Puis, alors que sa bouche aspire méthodiquement votre bourgeon, vous sentez son index caresser votre anus. Aussitôt, des frissons de plaisir vous secouent.

— Viens, murmurez-vous. S'il te plaît…

Clément se redresse, et d'une pression de la main sur votre bassin, vous invite à vous retourner. Vous vous exécutez, haletante, et vous placez à quatre pattes sur le tapis, suffisamment moelleux pour que vos coudes et vos genoux s'y enfoncent légèrement.

Vous sentez Clément se positionner derrière vous, et soudain, son gland appuie à l'entrée de votre sexe. En une poussée, il vous pénètre entièrement. Vous gémissez, savourant la sensation. Puis, après quelques secondes sans bouger, il se retire presque entièrement, pour replonger en vous avec violence. Ses mains agrippent vos fesses, les pétrissent, les écartent tandis que ses va-et-vient s'intensifient.

Vous entendez sa respiration s'accélérer et vous préparez à sa jouissance. Mais tout à coup, il s'immobilise.

— Je voudrais qu'on jouisse ensemble, souffle-t-il.

Il tend la main vers la table basse, et fouille un instant dans un panier, posé sur la planche inférieure. Il en tire un petit sachet que vous reconnaissez immédiatement. Aussitôt, vous sentez votre sexe se contracter, impatient. Votre bassin remue tout seul pendant que Clément sort le sex-toy de sa pochette. C'est un papillon vibrant, avec lequel Clément et vous avez souvent pimenté vos ébats. Et il est redoutablement efficace.

Clément le met en marche et vous entendez le léger ronronnement, avant de sentir les vibrations du jouet qui remonte lentement à l'intérieur de votre cuisse droite. Puis, Clément vient le poser d'une main experte juste sur votre clitoris enflammé. Au même moment, il se retire et vous pénètre à nouveau profondément. Le rythme effréné de ses pénétrations s'ajoute aux vibrations de l'appareil, et votre corps n'est plus qu'un gigantesque arc de plaisir. Vous sentez tous vos muscles se tendre à mesure que la jouissance s'approche.

Soudain, avec un râle familier, Clément jouit en plaquant plus fortement encore le papillon sur votre sexe. Vous basculez aussitôt, emportée par un orgasme fantastique qui dure encore et encore, par vagues successives, de plus en plus fortes et de plus en plus profondes.

Enfin, épuisée, vos genoux cèdent et vous vous laissez tomber sur le tapis.

Clément s'affale à côté de vous. Les yeux ouverts, vous fixez tous les deux le plafond pendant un instant, hébétés, et tentant de reprendre votre souffle.

De longues minutes plus tard, c'est Clément qui rompt le silence satisfait qui s'est installé dans la pièce.

— Wahou… murmure-t-il.

Vous le regardez, et l'expression de béatitude un peu sonnée qu'il arbore vous fait rire. Clément ne tarde pas à se joindre à vous. Puis il soupire, et chuchote :

— Je t'aime.

Vos yeux plongés dans les siens, vous levez la main pour jouer avec une de ses boucles.

— Moi aussi, murmurez-vous, en vous blottissant dans ses bras.

FIN

Curieuse de savoir où vous aurait menée cette soirée si vous aviez fait d'autres choix?
Alors n'hésitez pas à recommencer en 1!

Même s'il vous en coûte de décevoir Clément, vous savez qu'il n'y a pas d'autre choix possible.

— Je suis désolée Clément, murmurez-vous.

Ces mots ont l'effet d'un électrochoc sur lui : il vous lâche aussitôt et recule d'un mètre.

— Ça me touche beaucoup que tu sois venu me dire tout ça, et je pense que tu as bien fait. On avait tous les deux besoin d'un point final à cette histoire.

Clément secoue la tête, et il semble brusquement passer de la tristesse à la colère.

— C'est à cause de ton boulot de merde, c'est ça ? Tu crois que ça te mènera à quelque chose de jouer les larbins d'une tarée qui croit que la chose la plus importante au monde, c'est son shooting de couverture ?

Vous faites la moue.

— Non, Clément, ce n'est pas à cause de mon «boulot de merde», comme tu dis. Enfin, pas directement… Je veux dire, ça n'est pas ce que je choisis.

Une ride barre le front de Clément, visiblement perdu.

— J'ai pris ma décision ce soir : je donne ma démission à Olivia demain. Et elle peut toujours courir pour que je remette les pieds chez *Yes* pour un préavis, ajoutez-vous, avec un petit sourire.

Elle n'a jamais eu l'air de se soucier du droit du travail quand il s'agissait de vous exploiter à toute heure du jour... elle n'a pas intérêt à commencer maintenant !

Clément reste bouche bée, et vous vous sentez obligée de lui donner quelques explications.

— Tu as raison, je me suis perdue dans ce boulot... J'étais tellement obsédée par mon envie de me faire accepter, de faire mes preuves, que je ne me suis pas rendu compte que je me transformais.

— Mais c'est exactement ce que je pense... bredouille Clément. Je ne comprends pas : pourquoi tu ne veux pas qu'on réessaye ?

Vous secouez la tête avec un sourire désolé.

— J'ai besoin d'être seule, soufflez-vous.

Vous savez qu'il ne le comprendra pas et pourtant, c'est ce que vous ressentez au plus profond de vous. Vous avez envie de liberté, d'aventures... de ne pas savoir de quoi demain sera fait. Vous remettre avec votre ex, ce serait retourner sur un chemin tout tracé.

Vous repérez un taxi qui arrive au loin et vous approchez du bord du trottoir pour l'appeler.

— Tu ne veux pas que je te raccompagne ? propose Clément.

— Je pense que ce n'est pas une bonne idée... répondez-vous, alors que le taxi s'arrête à côté de vous. Au revoir, Clément.

Vous avez un pincement au cœur en refermant la porte du taxi, mais vous savez que vous prenez la bonne décision.

«Olivia ne savait pas à quel point elle avait raison en me disant que cette soirée serait cruciale pour ma carrière… vous dites-vous, en regardant les rues désertes défiler sous vos yeux. Et maintenant, à moi la vraie vie!»

FIN

Comment se serait terminée la soirée si vos décisions avaient été différentes? Pour le découvrir, recommencez en 1.

42

— C'est gentil, Anaïs, mais à ce stade-là, tout le maquillage du monde ne pourrait plus rien pour moi ! déclarez-vous en désignant de la main les taches qui maculent votre robe noire.

— Alors, on papote ?

La voix d'Olivia vous fait sursauter. Vous vous retournez, prête à lui dérouler la check-list, et ne pouvez que constater la moue dégoûtée qu'elle affiche en voyant de quoi vous avez l'air.

— Rassure-moi, tu ne vas pas te montrer comme ça ? ajoute-t-elle.

— J'étais justement en train de dire à Anaïs que j'allais rester en coulisses, bredouillez-vous, oscillant entre la honte et la colère.

— Très bonne idée ! approuve Olivia avec un enthousiasme bien trop appuyé.

« Évidemment, comme ça, elle pourra prétendre avoir tout organisé seule, elle aime tant se faire mousser. »

Vous vous souvenez très nettement de la première fois où vous l'avez vue à l'œuvre. C'était le mois d'août, et vous veniez de trimer pendant trois semaines pour assurer le boulot effectué par quatre personnes en temps normal. Olivia, elle, s'était contentée de soigner ses relations en allant de déjeuner en expositions, répétant à l'envi que la ville n'était jamais aussi agréable qu'à cette période de l'année. Un jour, en revenant dans le bureau après votre «déjeuner» d'à peine un quart d'heure, vous l'aviez entendu au téléphone – manifestement avec Mademoiselle.

— Si tu savais, c'est l'enfer, ici. Crois-moi, faire tout ça toute seule, c'est presque impossible!

Hors de vous, vous étiez bien décidée à lui faire remarquer que vous abattiez plus que votre part du boulot… Mais quand elle avait raccroché, elle vous avait considérée avec une telle assurance et un tel mépris que vous n'aviez finalement rien osé dire.

Vous sortez de votre rêverie au son d'un claquement des doigts d'Olivia, juste sous votre nez.

— Allô? Tu as entendu?

— Pardon?

— Je te disais d'aller directement en cuisine, la soirée vient de commencer et les buffets sont loin d'être dressés! Va régler ça.

Vous hochez la tête et tournez les talons avec résignation… et tout le poids du monde sur les épaules. «Bien sûr, vous dites-vous. Il faut que j'aille en cuisine, voir le chef Bramfield. Il ne manquait plus que ça…»

On ne peut pas dire que vous ayez commencé du bon pied tous les deux. Vous prenez l'ascenseur qui conduit au sous-sol en répétant mentalement les excuses que vous allez lui présenter.

Entrez en cuisine en 43.

43

Quand vous poussez la porte de la cuisine, vous êtes surprise par la sérénité qui y règne. Vous vous étiez toujours représenté un lieu bruyant, avec un chef hurlant sur ses commis, sur fond de casseroles bouillant et de poêles grésillant…

Au lieu de ça, vous découvrez un espace immaculé, où trois jeunes hommes travaillent dans le calme, avec une rapidité que vous admirez. Vous jetez un œil perplexe autour de vous : où est passé le chef ?

— Vous êtes perdue ?

Vous sursautez et tournez la tête. Ian Bramfield se tient à un mètre de vous, avec le même air insolent qu'à votre première rencontre. Mais il porte à présent une veste de cuisinier noire, qui lui donne l'air beaucoup plus sérieux que son blouson en cuir.

— Je venais voir si tout allait bien, tout sourire. Il semblerait que le buffet ne soit pas encore tout à fait prêt ?

Le chef éclate de rire.

— Je vois que vous avez changé de ton… Quant au buffet, vous serez gentille de dire à la personne qui vous envoie qu'avec la moitié de ma brigade terrassée par une épidémie de gastro, je ne peux pas faire de miracles!

L'épidémie de gastro… Décidément, vous êtes maudite! C'est donc pour ça que le chef n'a pas envoyé tout ce qui était prévu. Vous pouvez difficilement le lui reprocher.

— Vous avez vu avec la brigade du Savert? demandez-vous prudemment. Ils ne pourraient pas vous prêter un ou deux commis?

Le chef lève un sourcil moqueur.

— Oh! mais quelle brillante idée, mademoiselle. Je n'y aurais jamais pensé moi-même!

Le chef lève les yeux au ciel, exaspéré.

— Vous comprendrez que je ne reste pas faire la conversation… ajoute-t-il avant de retourner à ses fourneaux.

D'accord, votre remarque n'était pas très futée… Mais était-ce vraiment la peine d'être aussi désagréable?

En attendant, vous vous voyez mal aller expliquer à Olivia qu'il manquera un tiers du buffet prévu parce que la brigade n'est pas au complet… C'est ce qu'on appelle être coincée entre le marteau et l'enclume. Vous restez là, indécise, tout en observant le ballet bien réglé des quatre cuisiniers.

Vous ne voyez qu'une solution: prendre votre courage à deux mains et proposer votre aide. Certes, vous êtes très loin du niveau des professionnels aguerris qui travaillent devant vous… Mais vous êtes suffisamment habituée à cuisiner pour faire un commis acceptable. Et puis vous avez un avantage certain: vous êtes là!

«Mais ça veut dire passer le reste de la soirée à supporter les moqueries de Ian…», songez-vous en observant le chef à la dérobée alors qu'il vérifie l'assaisonnement d'une sauce. Vous prenez néanmoins une grande inspiration.

Allez proposer votre aide à la brigade en 44.

44

Vous vous avancez timidement vers le chef.

— Vous êtes encore là, vous? aboie-t-il en relevant la tête. Qu'est-ce que vous voulez?

— Je me disais… Eh bien, puisqu'il vous manque des bras, et que je suis là… je pourrais peut-être…

Ian Bramfield vous dévisage, les yeux écarquillés. Soudain, il comprend où vous voulez en venir. Pour la deuxième fois en quelques minutes, il part d'un grand rire.

— Vous voulez cuisiner? vous interroge-t-il en s'essuyant les yeux.

Les trois autres cuisiniers se sont arrêtés de travailler, attendant de connaître la réponse du chef.

— Je ne prétends pas être au niveau, rétorquez-vous, vexée. Mais une paire de mains en plus ne peut pas être complètement inutile, non? Vous n'avez pas, je ne sais pas moi, des pommes de terre à éplucher?

Sans vous en rendre compte, vous avez élevé la voix. Et bien quoi? Parce que vous êtes assistante dans un magazine féminin, il pense que vous ne savez rien faire de vos dix doigts ?

Le chef vous regarde avec une lueur d'intérêt. Un sourire étire ses lèvres, puis il se retourne, et ouvre un placard.

D'un geste rapide, il en extirpe un tissu blanc qu'il lance vers vous et que vous rattrapez par réflexe : c'est un tablier.

— Ne restez pas plantée là ! vous lance Ian, moqueur. Brice va vous trouver quelque chose à faire.

Vous vous retournez vers les trois autres cuisiniers en vous demandant qui peut bien être Brice.

L'homme qui vous fait signe d'approcher a une trentaine d'années, les cheveux roux coupés court, et un sourire avenant.

Rassurée, vous vous approchez.

— Bienvenue à bord ! vous lance-t-il avec un sourire franc. Ne vous laissez pas impressionner par le chef. Il est exigeant, mais juste. Alors… qu'est-ce que vous savez faire ?

Vous faites la grimace. À vrai dire, vous n'avez aucune idée du genre de tâches qu'on pourrait vous confier. Vous entreprenez donc de lister les quelques gestes techniques que vous maîtrisez.

— … Et bien sûr, toutes les corvées, du type éplucher, laver la vaisselle, passer le balai ! terminez-vous, en tentant de justifier au mieux votre présence.

Heureusement pour vous, Brice est très pédagogue.

— On est dans le jus là, parce qu'il faut envoyer le reste du premier buffet. Mais essaie de nous aider sur le dressage, pour voir.

Le sous-chef vous désigne les photos accrochées au-dessus du plan de travail qui montrent les différents éléments du buffet : bouchées, verrines, cuillères, canapés… Tout vous semble extrêmement sophistiqué.

— Regarde, je te montre le dressage de cette cuillère, c'est la plus facile.

Avec des gestes rapides et précis, le sous-chef s'exécute. Le résultat est à la fois net, efficace et élégant.

— À toi, maintenant.

Vous répétez soigneusement les différentes étapes, beaucoup plus lentement que Brice, bien sûr, mais en essayant de n'oublier aucun détail. Vous avez l'impression de jouer à ces jeux des sept erreurs que vous aimiez, enfant.

Une fois le dernier grain de fleur de seul délicatement déposé, vous vous tournez vers Brice pour le verdict. Il s'avance pour examiner votre œuvre et vous serrez les dents, prête à encaisser ses critiques.

— Hé, mais c'est pas mal du tout ! annonce-t-il à votre grande surprise.

Il rectifie la position du brin de ciboulette, puis vous annonce :

— OK, il nous en faut encore cinquante comme ça. Au boulot !

Vous vous mettez immédiatement au travail, répétant inlassablement les mêmes gestes, en essayant de rester précise, sans trop traîner non plus. Les autres cuisiniers sont si rapides que vous avez l'impression d'être une tortue, mais aucun d'eux ne vous le reproche.

Ce que vous n'aviez pas prévu, c'est que vous prendriez un tel plaisir à dresser ces amuse-bouches! La minutie de ce travail vous plaît : il faut être concentré, ce qui vous empêche de penser à autre chose, et vous donne la sensation agréable d'avoir mis vos neurones au repos. Et le résultat récompense largement vos efforts. Les créations de Ian sont de vraies œuvres d'art. Vous êtes d'ailleurs stupéfaite qu'un homme aux manières aussi rustres puisse créer des choses aussi délicates. De temps en temps, vous l'observez du coin de l'œil. Il est partout, attentif aux moindres détails. Aucun plateau ne quitte la cuisine sans qu'il l'ait vérifié lui-même. Plus vous le voyez travailler, plus vous vous réalisez que vous travaillez dans la cuisine – et avec la brigade d'un chef réputé.

La sensation de faire partie d'une équipe, de travailler côte à côte – qui plus est avec le sous-chef Brice pour vous guider – est aussi un changement appréciable par rapport à la concurrence permanente qui est la règle chez *Yes*.

Continuez à travailler dur en 45.

45

Vous étiez tellement concentrée que vous n'avez pas vu les heures passer. Les petits-fours sucrés ont succédé aux amuse-bouches, et vous avez l'impression d'avoir donné un réel coup de main à la brigade.

Quand le serveur chargé du dernier plateau quitte la cuisine, vous participez naturellement à la joie collective. Brice vient vous taper dans la main, Damien et Pierre, les deux autres membres de la brigade, improvisent une danse de la victoire et vous riez de bon cœur.

Même Ian finit par lâcher ce qui ressemble à des remerciements.

— Je dois reconnaître que vous ne vous en êtes pas mal sortie, ajoute-t-il. Vous n'êtes peut-être pas le genre de fille que je croyais…

— Et vous, peut-être pas le genre d'homme que j'imaginais, répondez-vous avec un sourire.

Ian lève un sourcil interrogateur, ne dit mot, mais sort une bouteille de rhum arrangé à la vanille et attrape cinq verres.

— C'est comme ça qu'on fête la fin du service! vous explique Brice.

Vous êtes en train de trinquer tous les cinq quand, soudain, la porte de la cuisine s'ouvre. Vous restez muette de surprise : Olivia vient d'entrer, accompagnée de Mademoiselle… et d'un homme que vous ne connaissez pas.

Olivia semble encore plus stupéfaite que vous de vous trouver là, mais elle ne tarde pas à se reprendre.

— Monsieur Torianni, commence-t-elle, je vous présente Ian Bramfield, qui nous a fait l'honneur de préparer le buffet ce soir.

L'homme serre la main du chef et le félicite chaleureusement, alors même que vous réalisez qu'il s'agit du P.-D.G. du groupe de presse auquel *Yes* appartient. C'est la première fois que vous rencontrez votre grand patron… «Enfin, lui n'a aucun moyen de se douter que je travaille pour lui!» réalisez-vous. Et vous savez qu'Olivia se gardera bien de le faire remarquer. Tout ce qui pourrait lui voler la vedette est soigneusement évité…

Mais c'était sans compter Mademoiselle, qui vous lance, le sourire aux lèvres :

— Je vois que vous n'avez pas ménagé vos efforts! Je suis impatiente que vous me racontiez tout ça lundi!

Elle explique rapidement au P.-D.G. que vous être l'assistante de production, pendant qu'Olivia vous fusille du regard. Christophe Torianni vous félicite pour «votre implication», et vous ne pouvez vous retenir de rougir de fierté.

Le trio quitte enfin la cuisine, vous laissant un peu sonnée.

La brigade se moque gentiment de vous en dégustant son rhum de fin de soirée, puis Ian annonce :

— Vous pouvez y aller, les gars. Vous avez mérité un peu de repos : on a bien cravaché ce soir. Vous avez assuré. Merci.

Même si le discours du chef est sobre, vous sentez que son équipe est touchée. Et c'est en souriant que les trois hommes rassemblent leurs affaires.

Vous hésitez. Il serait normal que vous partiez avec le reste de la brigade… mais le chef vous intrigue, et votre envie de passer un moment seule avec lui est de plus en plus forte. Vous aimeriez vous excuser de ne pas l'avoir reconnu en arrivant, tout à l'heure. Et peut-être aussi lui demander quel genre de fille il pensait que vous étiez… si vous osez !

Voir le chef en action a été une vraie révélation : il s'est transformé. L'amour de son métier s'est lu sur son visage toute la soirée, sa dextérité, son talent, son charisme… Vous l'avez observé dans son élément. Et c'était un peu comme regarder un sportif de haut niveau. Fascinant. Et séduisant.

«D'un autre côté, il n'a peut-être aucune envie que je reste… Sinon, il me l'aurait fait comprendre. Il me l'aurait même sûrement dit clairement, vu son caractère !» Vous l'imaginez déjà en train de vous demander ce que vous faites encore là. Vous avez toujours eu du mal à décoder ce genre de situations entre deux eaux…

Voulez-vous tenter de rester
un peu plus longtemps en 46 ?

Ou bien préférez-vous vous éclipser en 48 ?

46

— On file, chef, à demain! lance Brice, en ramassant son blouson.

Puis il se tourne vers vous:

— On te dépose quelque part?

Vous secouez la tête, gênée.

— Non, non, je vais rejoindre mes collègues là-haut…

— OK, à bientôt, alors!

En quelques instants, la cuisine se vide. Vous vous retrouvez plantée au beau milieu des fourneaux, sans savoir quoi faire. Ian vous tourne le dos, occupé à rassembler son matériel. Vous ne savez pas s'il a conscience de votre présence ou non… Tout à coup, vous vous sentez stupide. «Je me suis fait des idées, c'est sûr.»

Alors que vous réfléchissez à la possibilité de vous éclipser discrètement, Ian se retourne. L'expression étonnée qui passe sur son visage vous confirme qu'il n'avait aucune idée de votre présence.

— Qu'est-ce que vous faites encore là? demande-t-il, en s'essuyant les mains avec un torchon.

— Je… je voulais vous aider à ranger! bredouillez-vous précipitamment.

Ian éclate de rire et s'avance vers vous.

— Vraiment? demande-t-il en s'adossant au piano,
à un mètre du poste sur lequel vous avez travaillé
toute la soirée.

Vous faites la moue.

— En fait… je voulais m'excuser, soufflez-vous.
Pour mon… accueil de cette après-midi.

— J'ai cru comprendre que vous étiez stressée,
répond Ian, avec un sourire moqueur. Ce que je ne
comprends pas, en revanche, c'est pourquoi vous
faites ce boulot…

Le chef s'approche de vous, avec un sourire en
coin.

— Je pense que vous valez mieux.

Le contact de sa peau sur la vôtre quand il prend
votre main vous électrise.

— Et je pense aussi, ajoute-t-il en se penchant
jusqu'à n'être plus qu'à quelques centimètres de votre
visage, que vous n'êtes pas restée pour m'aider à
ranger…

Vous sentez vos joues s'enflammer et votre cœur
bat si fort dans votre poitrine que vous ne pouvez pas
croire que Ian ne l'entende pas, lui aussi.

Vous osez à peine respirer, transpercée par le regard bleu acier du chef. Sa main gauche remonte vers
votre visage et vient caresser votre joue avec une déli-
catesse surprenante.

— Mais ce n'est pas pour me déplaire.

Enfin, les lèvres de Ian se posent sur les vôtres.
Vous vous sentez fondre, envoûtée par son baiser

profond, ses lèvres douces et sa barbe de trois jours qui vient parfois frotter votre menton, ses mains qui encadrent maintenant votre visage… Ian vous donne le sentiment d'être un produit précieux, à manipuler avec une précaution, une attention particulière.

Votre baiser dure de longues minutes, vous perdez peu à peu toute notion du temps ou du monde qui vous entoure, vous abandonnant à vos sens. Soudain, le chef place ses mains autour de votre taille et vous soulève avec une facilité déconcertante. Il vous assied sur le plan de travail, et le contact de la surface froide sur la peau de vos jambes nues vous arrache un cri étouffé.

Puis Ian entreprend de déboutonner sa veste de cuisinier, dévoilant un torse large et musclé, presque entièrement couvert de poils châtains. Un torse d'homme. Vous sentez votre ventre se serrer. La virilité tranquille du chef vous trouble au plus haut point. Il ne ressemble pas aux jeunes hommes que vous avez connus. Il émane de lui une telle assurance, une telle force que vous vous sentez en confiance. Désirable.

Vous faites passer votre robe par-dessus votre tête et la laisser tomber par terre, avant de relever les yeux vers Ian. Vous vous efforcez de soutenir son regard sans trembler. Le chef vous détaille et semble apprécier ce qu'il découvre.

Il s'approche de vous pour vous caresser, descendant d'abord le long de vos bras, puis remontant sur vos côtes avant d'atteindre votre poitrine. Ses mains soupèsent délicatement vos seins avant de les empoigner plus fermement. Puis, passant dans votre dos, ses doigts dégrafent votre soutien-gorge, qu'il ôte ensuite complètement. Ian contemple votre poitrine de longues secondes et de nouveau, vous vous sentez admirée, précieuse.

Puis soudain, son regard s'illumine d'une lueur malicieuse. Il tend la main et rapproche de vous un bol de crème fouettée. Puis il y plonge un doigt, et vient en déposer une noisette sur votre téton gauche, que ce contact fait immédiatement pointer. Vous sentez la peau de votre poitrine se contracter, la chair de poule fait se dresser le fin duvet blond qui la couvre. Sans attendre, le chef recommence avec votre sein droit.

Puis, Ian se penche pour lécher la crème, remontant vers votre bouche après chaque sein, pour vous la faire goûter. La sensation de sa langue parcourant votre téton avec application est divine. Vous haletez, consciente de la chaleur qui envahit votre ventre.

Vos baisers sont de plus en plus intenses. Vous sentez que le désir du chef monte rapidement. Sa respiration s'est accélérée, son regard s'est assombri, ses gestes sont plus rapides.

Ses mains se posent sur l'élastique de votre culotte et vous soulevez une hanche puis l'autre pour l'aider à faire descendre votre sous-vêtement le long de vos jambes. Ian ne laisse pas retomber vos jambes, il les attrape, et se baisse pour les placer sur ses épaules.

Vous vous mordez les lèvres en voyant Ian tendre de nouveau la main vers la crème fouettée. Avec un regard gourmand, il en dépose une noisette sur sa langue, et sans l'avaler descend entre vos cuisses.

La fraîcheur de la crème se mélange à la chaleur humide de la bouche du chef. Il lape votre fente avec le plat de la langue, remontant lentement vers votre clitoris. Quand il l'atteint enfin, il s'y arrête le temps de laisser fondre le reste de crème. Puis il reprend son parcours, sa langue experte vous amenant au bord de la jouissance. Les mains enfouies dans ses cheveux, vous fermez les yeux, prête à vous laisser emporter. Pourtant, Ian s'écarte doucement.

Vous ouvrez les yeux, frustrée, mais le regard brûlant du chef vous rassure. Vous n'aurez plus à attendre trop longtemps. D'un geste puissant, il vous soulève et vous dépose sur vos pieds. Puis il vous fait pivoter sur vous-même, jusqu'à faire face au plan de travail.

Derrière vous, vous entendez un bruit qui vous fait comprendre que Ian sorti un préservatif. Vous fermez les yeux, tremblante d'impatience, et vous poussez un gémissement quand ses mains agrippent de nouveau votre taille.

Vous sentez la chaleur de son corps, son souffle sur votre nuque. D'une poussée ferme d'une main sur votre épaule gauche, Ian vous plaque le buste sur la surface du plan de travail, dont le contact froid vous fait frissonner. Puis il se penche et dépose une série de baisers dans le creux de votre nuque. Son corps est collé au vôtre, et vous sentez la puissance de son érection, la peau douce de sa queue contre vos fesses, que d'un mouvement du bassin, vous plaquez contre lui. Vous avez envie de le sentir en vous, là, maintenant.

Ian comprend le message, et bientôt son gland se présente à l'entrée de votre sexe. Vous êtes si excitée qu'il vous pénètre facilement, en une seule poussée, avec un soupir rauque. Ian guide vos hanches pour régler la profondeur et le rythme de ses va-et-vient. Les grands coups lents du début se font bientôt plus rapides et vos jambes flageolent. Vous vous abandonnez. La fraîcheur du métal sur la peau de votre poitrine vous fait du bien.

Concentrée uniquement sur vos sensations, vous suivez les ondes de plaisir qui envahissent tout votre corps. Vos mains agrippent le vide et vous gémissez de plus en plus fort alors que la respiration de Ian se fait plus saccadée, ses mouvements moins maîtrisés. Vous sentez sa queue gonfler encore en vous. Ses mains pétrissent vos fesses et ses coups de boutoir se font plus profonds. Vous poussez un cri, emportée par un orgasme puissant. Votre sexe se contracte autour du membre de Ian, le plaisir remonte en tournoyant jusque dans votre ventre.

Puis vous sentez et entendez que Ian jouit lui aussi. Vous avez la sensation de flotter dans du coton, que votre corps tout entier est en apesanteur. Il vous faut de longues minutes pour revenir sur terre. Quand vous ouvrez les yeux, vous êtes lovée dans les bras de Ian, des bras puissants qui vous soutiennent et vous empêchent de glisser au sol.

Quand il constate que vous avez repris vos esprits et que vous pouvez de nouveau tenir debout, Ian se rhabille et vous aide à remettre vos sous-vêtements. Ce moment pourrait être gênant, mais le sourire du chef est si rassurant, il est si à l'aise que c'en est contagieux. Il s'éloigne pour aller chercher ses affaires de ville, et vous en profitez pour terminer de vous rhabiller. Quand il revient vers vous, il porte un T-shirt noir et son blouson en cuir. Il a son sac sur l'épaule, et vous hésitez.

«Est-ce que c'est le signe que je dois m'éclipser?»

Son regard bleu se pose sur vous, perçant comme toujours, et vous donne l'impression qu'il peut lire dans vos pensées.

— Je vous raccompagne?

Vous acquiescez et suivez le chef en 47.

47

Vous quittez le Savert ensemble dans une des luxueuses berlines noires du palace. Les rues sont désertes, vous savourez ce moment de calme, hors du temps, sans échanger un mot. Bientôt, trop tôt, la voiture s'arrête au pied de votre immeuble. Vous attrapez votre sac à main et vous tournez vers Ian.

Ce dernier a plongé la main dans la poche intérieure de son blouson, et griffonne quelque chose sur une carte de visite. Quand il a terminé, il vous la tend.

— Le numéro imprimé sur la carte, c'est mon contact professionnel. Appelez-moi quand vous aurez enfin décidé de quitter votre boulot.

Vous écarquillez les yeux, surprise, avant de demander :

— Et si c'était le cas ? Vous m'embaucheriez ?

Le chef éclate de rire.

— Vous savez que je suis étoilé, quand même ? Vous avez des dispositions, mais on n'intègre pas ma brigade aussi facilement.

Vous baissez la tête en rougissant de votre naïveté.

Ian reprend :

— Non, ce que je vous propose, c'est de trouver un restaurant où vous pourriez vous former.

Vous hochez la tête.

— Je vais y réfléchir, murmurez-vous, un peu vexée par le rire du chef.

Vous vous promettez cependant de penser réellement à sa proposition. Les émotions que vous avez éprouvées ce soir vous ont fait du bien, vous ont rappelé que le travail ne devait pas nécessairement être stressant et vide de sens.

Au moment où vous vous apprêtez à ouvrir la portière pour sortir, Ian se penche vers vous et dépose un long baiser sur vos lèvres. Puis il se recule sur son siège, et ajoute :

— Le numéro écrit au stylo en dessous, c'est mon portable. Personnel. Appelez-moi aussi sur celui-ci. J'ai beaucoup d'autres idées pour vous…

Même si vous rougissez de nouveau, gênée, un sourire étire vos lèvres. Empochant soigneusement la carte, vous quittez la berline.

L'air frais de la nuit vous le confirme : vous ne rêvez pas. Avec un soupir de contentement, vous entrez dans votre immeuble.

Pour la première fois depuis des mois, vous avez hâte d'être à demain.

FIN

Vous vous demandez ce qui vous serait arrivé
si vous aviez pris des décisions différentes ?
Recommencez en 1 pour le découvrir !

48

Vous cherchez à percevoir un signe de la part du chef, quelque chose qui vous encouragerait à rester... Mais il est en train de ranger, et ne vous prête aucune attention.

«Je me suis fait des idées, vous dites-vous. Je ne l'intéresse pas du tout...»

— On y va, chef! lance Brice. On rentre avec ma voiture, ajoute-t-il en s'adressant à vous. Si tu veux, je te dépose?

— Merci, Brice, c'est gentil, mais je vais rejoindre mes collègues là-haut.

Vous vous tournez vers Ian, un peu hésitante, et bredouillez:

— J'ai été ravie de travailler avec vous... chef.

Vous vous attendez à ce qu'il vous gratifie d'une boutade, mais il pose un regard sérieux sur vous.

— L'équipe a aimé bosser avec vous. Pourtant, ils sont exigeants. Comme moi. Peut-être devriez-vous penser à une reconversion, un jour...

Vous écarquillez les yeux, cherchant à savoir si c'est une plaisanterie, mais son visage impassible ne trahit rien. Vous décidez de prendre sa remarque pour argent comptant et le remerciez une nouvelle fois.

Puis vous quittez la cuisine sur les talons des trois autres cuisiniers, passablement perturbée. Et si c'était le fait de cuisiner vous avait plu et non la présence du chef, comme vous l'imaginiez?

Dans l'ascenseur qui vous conduit au rez-de-chaussée, vous vous faites la promesse de repenser à tout ça le lendemain, à tête reposée. Pour le moment, il est tard, vous avez travaillé dur, et le rhum plutôt corsé que vous venez de boire n'arrange rien.

Vous vous dirigez vers le grand salon, et entrebâillez une des portes. Les derniers fêtards n'ont pas l'air prêts à aller se coucher. Certains dansent sur la piste, d'autres sont plongés dans de grandes discussions. Vous repérez un petit groupe, assis par terre en cercle. Des collègues du magazine… et plutôt ceux que vous appréciez. De ce que vous voyez depuis votre poste d'observation, ils sont en train de boire en riant.

Voulez-vous les rejoindre en 70?
Ou bien préférez-vous quittez l'hôtel,
et rentrer chez vous en 39?

49

— Je serais ravie de m'occuper de la soirée! annonce Charlotte, d'une voix forte.

— Parfait! répond Mademoiselle. Ne perdez pas une minute, ajoute-t-elle.

Charlotte vous adresse un sourire satisfait et rassemble ses affaires avant de quitter la salle de conférences dans un grand bruit de talons. Olivia vous jette un regard noir et chuchote:

— Tu ne t'es pas sentie concernée?

Vous rougissez et murmurez:

— J'ai pensé que je serai plus utile ici.

Olivia lève les yeux au ciel.

— Abstiens-toi de penser la prochaine fois…

Heureusement pour vous, la réunion reprend.

— J'attends vos idées, déclare Mademoiselle, lançant le brainstorming.

Aussitôt, les noms fusent autour de la table: actrices, chanteuses, femmes politiques… Il y en a pour tous les goûts. Chacun fouille dans son carnet d'adresses pour y trouver le contact le plus original… ou le plus disponible.

Sur un geste d'Olivia, vous avez endossé le rôle de rapporteur et vous tentez tant bien que mal de noter toutes les propositions. Vous aimeriez participer vous aussi : vous savez bien que trouver la bonne personne pour cette couverture serait un coup magistral. D'autant plus que, pour une fois, vous êtes en présence de Mademoiselle, et qu'Olivia ne pourrait pas faire passer vos idées pour les siennes...

Le problème, c'est que votre carnet d'adresses est désespérément mince par rapport à ceux des journalistes expérimentés qui se trouvent autour de la table. Vous, vos contacts sont plutôt les prestataires : photographes, équipe déco, transporteurs, coiffeurs et maquilleuses... Les personnes les plus influentes de votre répertoire sont sans doute les attachées de presse des maisons de couture !

Mais soudain, vous avez une illumination : une liste parmi laquelle choisir la bonne personne s'affiche clairement dans votre esprit. Une liste que vous connaissez par cœur à force de la mettre à jour quotidiennement depuis des semaines... Celle des invités VIP à la soirée de lancement.

« Mais oui ! Ce serait parfait ! On est sûrs qu'ils sont sur place, et il s'agit juste de les convaincre de se libérer quelques heures plus tôt que prévu... et encore, le maquillage et le stylisme du shooting feront office de préparation pour la soirée ! »

Vous souriez, ravie de tenir enfin une idée valable. Mais si vous voulez produire le maximum d'effet, il ne faut pas vous tromper de personne...

Déroulez mentalement la liste en 50.

Vous faites défiler dans votre esprit les visages de femmes toutes plus belles les unes que les autres. Mais à chaque fois, il manque quelque chose… et le plus souvent, ces célébrités ont déjà fait tant de couvertures que vous ne voyez pas comment elles pourraient créer l'événement.

Certaines feraient un second choix acceptable si le brainstorming n'aboutit pas. Vous décidez donc de noter leurs noms sur un coin de votre feuille.

«Au cas où…»

Vous mordillez le capuchon de votre stylo. En face de vous, Franck s'est lancé dans une grande tirade, essayant de convaincre la directrice de la rédaction qu'il faut absolument mettre un chaton en couverture. Vous souriez discrètement. Il est vraiment très beau, dans le genre ultra-looké.

«Je me demande s'il a un petit ami?» vous dites-vous. Vous ne savez pas pourquoi, mais vous l'imaginez bien avec un homme très différent de lui. Simple. Pas intéressé par la mode pour un sou. «Peut-être un sportif, tiens?»

Soudain, vous tenez votre idée. Un sportif! Depuis tout à l'heure, tout le monde se focalise sur la recherche d'une star féminine… Mais parmi les invités de ce soir, il y aura Nicolas Liand, le footballeur. Il a gagné la Coupe du Monde, la Coupe d'Europe et été Ballon d'Or à plusieurs reprises… Mais surtout, il a une aura extraordinaire, qui séduit autant les hommes que les femmes. Sa beauté, son charisme de taiseux, son image d'intello du milieu lui ont permis de devenir l'ambassadeur de nombreuses marques de luxe.

Plus vous y pensez, plus vous en êtes certaine : c'est le candidat idéal. Un homme en couverture, c'est osé. Mais vous imaginez déjà son regard vert si magnétique s'affichant en grand format sur tous les kiosques…

Vous toussotez pour attirer l'attention, mais personne ne vous remarque et vous finissez par lever la main. Il faut quelques instants à Mademoiselle pour s'en rendre compte. Elle fronce les sourcils, mais vous fait signe de parler.

— Je pensais à Nicolas Liand, commencez-vous, doucement. Il a confirmé sa présence à la soirée, il fait l'objet d'une grande attention en ce moment…

Vous sentez les regards perplexes de l'équipe, et vous vous empressez de poursuivre, en espérant ne pas être coupée trop vite :

— Et puis il représente quand même un fantasme pour beaucoup de femmes : un sportif de haut niveau, beau gosse et réputé intello… En tout cas, terminez-vous, ça ne ressemblerait pas à ce que font nos concurrents. C'est une couverture qui marquerait les esprits.

Vous vous arrêtez, en espérant ne pas en avoir trop fait. Vous n'êtes pas surprise de voir qu'Olivia se garde bien de réagir : elle attend toujours de voir dans quel sens va l'opinion générale pour s'y rallier. Ou dans le cas présent, l'opinion de Mademoiselle !

C'est Franck qui réagit le premier :

— Attends, mais c'est pas bête ! On le fait poser torse nu... Peut-être même avec un chaton ? réfléchit-il à haute voix.

Mademoiselle le coupe :

— J'aime bien l'idée. Prune, vous connaissez Nicolas Liand ?

La jeune femme bredouille :

— Oui, bien sûr. Tout le monde le connaît...

— Bien, reprend Anne. Isabelle, Audrey qu'est-ce que vous en pensez ?

La responsable mode semble enthousiaste.

— C'est une icône, approuve-t-elle. Et puis on a une série *sportswear*, ça peut coller...

Audrey fait la moue.

— Je peux faire un papier dans l'après-midi, il y a de la matière. Et puis une mini-interview pendant le shooting, pour remplacer celle de Marina...

La directrice se tourne vers votre chef :

— Bon, eh bien go, alors. Tu peux nous organiser ça, Olivia ?

— Aucun problème... lance Olivia d'un ton enthousiaste que vous savez être tout à fait hypocrite. Que des solutions !

Vous levez discrètement les yeux au ciel. Vous avez entendu cette devise si souvent depuis six mois que vous ne la supportez plus. Mais peu importe, vous ne laisserez pas un peu d'exaspération gâcher votre heure de gloire.

«C'est quand même moi qui viens de sauver la couverture de la nouvelle formule!» vous dites-vous.

Olivia se lève et vous fait signe de la suivre dans son bureau : vous avez beaucoup à faire en l'espace de quelques heures, il n'y a pas une seconde à perdre. Et malgré tous les reproches que vous pouvez faire à votre chef, vous ne pouvez pas nier qu'elle est très efficace!

À peine arrivée dans son bureau, Olivia vous met subtilement les points sur les i.

— Tu vois, un bon brainstorming, c'est très efficace : on ne répétera jamais assez la force du collectif.

«Message reçu, songez-vous. Je n'ai pas intérêt à rappeler que l'idée vient de moi…»

Une fois ce point réglé, Olivia appelle Hélène, la chargée de relations publiques du footballeur, avec qui vous avez toutes les deux été en contact plusieurs fois déjà.

En quelques minutes, elle lui vend le projet, et elle le fait si bien que ça ne semble plus du tout être une couverture pensée à la dernière minute et en remplacement du projet initial… Non, en l'écoutant, on a le sentiment que tout est fait exprès, que l'urgence fait partie d'une volonté artistique globale, et que c'est une opportunité formidable pour Nicolas.

Quand votre chef raccroche, Hélène a accepté, et s'est engagée à le convaincre, si besoin était. Bref, vous pouvez passer à l'essentiel : organiser la séance photo. Vous vous répartissez les tâches, mais Olivia vous prévient rapidement que votre mission essentielle aujourd'hui sera d'être la baby-sitter du footballeur. Hors de question qu'il échappe à votre vigilance une seconde.

— Tu devras t'assurer qu'il ne manque de rien, et qu'il soit à l'heure à chaque étape. Son avion atterrit dans une heure, vous dit-elle.

Vous retournez rapidement à votre bureau. La première chose à faire est d'aller l'accueillir à l'aéroport. Il est sans doute trop tard pour trouver une voiture avec chauffeur… mais vous pouvez aussi y aller vous-même, votre Clio est au parking!

Direction le parking en 51.

51

Vous prenez l'ascenseur jusqu'au quatrième sous-sol. Là, vous passez votre badge du magazine devant la borne blanche et la porte donnant sur le parking s'ouvre automatiquement.

«C'est étrange de se retrouver ici en plein après-midi», vous dites-vous. D'habitude, il est au moins vingt heures quand vous rejoignez votre voiture…

Votre petite Clio noire est nickel, aussi bien à l'extérieur qu'à l'intérieur, et vous vous félicitez d'être aussi maniaque : au moins, vous n'aurez pas besoin de faire un grand ménage avant de partir…

Alors que vous venez de vous installer au volant, vous réalisez que Nicolas Liand sera assis sur la banquette dans moins d'une heure.

«Lui qui est habitué aux voitures de luxe, je ne suis pas sûre qu'il apprécie…»

Vous vous mordez la lèvre, avant de hausser les épaules. «De toute façon, je ne peux plus rien y faire!»

Vous quittez le parking, le cœur léger. Vous avez toujours aimé l'inattendu. Et cette journée s'annonce pleine de surprises.

Vous avez bien fait de ne pas traîner, car la route est embouteillée, comme toujours. Lorsque vous vous garez au parking de l'aéroport, il ne reste plus que quelques minutes avant l'heure d'arrivée annoncée.

«Zut, je n'ai pas pris de pancarte!» Vous en bricolez une avec une feuille de papier repliée et un feutre, et filez dans le terminal vous poster à la bonne porte.

Malgré vous, votre cœur se met à battre un peu plus fort. Vous êtes excitée à l'idée de rencontrer la star, et un peu intimidée aussi.

Vous n'êtes pas nombreux à attendre les passagers de ce vol, mais quand Nicolas Liand passe les portes automatiques, il est immédiatement remarqué. Un homme l'interpelle, et la star accepte sans difficulté d'être prise en photo. Vous en profitez pour l'observer, tout en tenant bien en vue votre feuille, pour que le footballeur ne vous rate pas. Il porte un jean sombre, une chemise blanche un peu froissée par le vol, un sweat à capuche noir et des baskets. Habillé comme ça, difficile de se rendre compte qu'il est un sportif de haut niveau. Les seuls indices sont sa grande taille et ses épaules, plutôt larges.

Enfin, il vous aperçoit. Il s'avance vers vous, vous salue sobrement, puis vous tend sa petite valise noire à roulettes. Vous l'accueillez avec un grand sourire et ouvrez la marche vers le parking. Heureusement son bagage est léger, et vous le tirez donc derrière vous sans problème. Quand vous arrivez devant votre Clio, Liand fronce les sourcils, et regarde autour de lui, sans comprendre.

«Il est en train de chercher la voiture», comprenez-vous en rougissant.

Essayant d'être la plus professionnelle possible, vous lui ouvrez la porte arrière. Le regard du footballeur va de la voiture à vous, puis il demande :

— Mais vous êtes qui exactement ?

Embarrassée, vous vous présentez.

— Hélène vous a bien prévenu pour la séance photo ? demandez-vous, inquiète.

Liand éclate de rire, ce qui vous surprend beaucoup. Non seulement parce que vous ne comprenez pas ce qu'il y a de si drôle, mais aussi car vous ne l'aviez jamais entendu rire auparavant. Il est toujours si sérieux pendant ses interviews à la télé...

— Oui, bien sûr... C'est juste que... je croyais que vous étiez mon chauffeur ! explique-t-il enfin. J'étais étonné, mais je ne voulais pas vous vexer. Je me suis dit qu'il n'y avait aucune raison que ce métier ne soit pas exercé par une femme !

Le footballeur reprend sa valise, que vous aviez lâchée pour lui ouvrir la porte, et la range lui-même dans le coffre. Puis il se tourne vers vous.

— Du coup, je vais monter à côté de vous, dit-il, en désignant la portière arrière que vous tenez toujours ouverte.

— Ne vous sentez pas obligé, surtout ! vous exclamez-vous. Ça ne me dérange pas.

Liand sourit franchement.

— Vous ne voulez pas faire la conversation ?

Une lueur amusée passe dans ses yeux d'un vert profond.

— Je... non, enfin, pas du tout ! vous écriez-vous, avant de vous rendre compte que le footballeur se moque de vous.

Avec une petite moue, vous vous décidez enfin à refermer la portière arrière.

Installez-vous au volant en 52.

52

Vous bouclez votre ceinture pendant que votre illustre passager s'installe à vos côtés. Vous lui jetez un coup d'œil discret avant de démarrer. C'est vraiment très étrange d'avoir une star mondialement connue sur le siège passager de votre voiture.

Vous n'êtes pas spécialement fan de foot, mais vous regardiez un match de temps en temps avec Clément… Et comme tout le monde, vous avez suivi les succès de l'équipe de France. Suffisamment en tout cas pour savoir que l'homme à côté de vous est un génie du ballon.

Vous repensez à ce qu'il vient de vous dire et songez soudain que vous devez absolument engager la conversation. Sinon, il risquerait de croire que vous ne vouliez effectivement pas lui parler !

— Vous avez fait bon voyage ? demandez-vous, en adoptant malgré vous un ton d'hôtesse de l'air absolument pas naturel.

— Oui, oui, merci, vous répond le footballeur avec un sourire poli.

— Vous avez des choses prévues en ville ce week-end? l'interrogez-vous pour relancer la conversation. Je veux dire… à part la soirée?

Concentrée sur la route, vous ne pouvez pas tourner la tête vers le footballeur pour voir l'expression de son visage, mais vous craignez le pire.

— J'ai un match de gala dimanche, vous explique-t-il. Je ne serais pas venu juste pour *Yes*…

Il laisse passer une fraction de seconde, puis ajoute aussitôt:

— Non pas que ça ne soit pas important, mais…

— Ne vous inquiétez pas, le coupez-vous. Ce n'est pas parce que je bosse pour *Yes* que je crois que la soirée de lancement est l'événement de l'année! Je me doute que ce n'est pas passionnant pour vous.

De nouveau, Liand a un petit rire.

— Si je peux être franc avec vous, alors j'avoue: c'est une vraie corvée. Je déteste les soirées. Presque autant que les séances photos, ajoute-t-il.

Vous ne pouvez vous empêcher de lui jeter un regard interrogateur. Il semble sérieux.

— Je suis désolée, soufflez-vous.

— Pourquoi? demande Liand. Vous n'y pouvez pas grand-chose!

Vous hésitez un instant avant de répondre:

— En fait, c'est moi qui ai eu l'idée pour la couverture. Je veux dire, j'ai proposé votre nom…

— Ah, vous êtes passionnée de foot? demande Liand, soudain intéressé.

Vous rougissez.

— Non… pas vraiment.

Vous n'avez aucune envie qu'il vous interroge sur les raisons qui vous ont poussé à le proposer, aussi vous relancez la conversation du mieux que vous pouvez.

— Vous verrez, le photographe est vraiment bon. Je l'ai déjà vu travailler, il arrive à mettre les gens à l'aise.

— Les mannequins, sûrement, soupire Liand.

— La dernière fois, il a fait une séance avec des lambdas, pour un dossier sur le corps, et…

— Des lambdas? vous coupe le footballeur.

— Oui, pardon, c'est l'habitude… Je veux dire, des inconnus. En tout cas, ils étaient dans leur élément!

Liand hoche la tête. Vous avez l'impression qu'il n'est pas convaincu, mais vous n'osez pas insister. Vous cherchez un nouveau sujet de conversation si désespérément que ce qui devait arriver arrive : vous prenez la mauvaise bretelle de sortie.

Essayant de ne rien laisser paraître, vous observez attentivement les quelques panneaux que vous croisez, mais on dirait bien que vous vous enfoncez de plus en plus loin dans une zone industrielle quasi déserte…

— Vous êtes sûre que c'est le bon chemin? vous demande enfin Liand.

Au moment où vous vous apprêtez à admettre que vous allez devoir faire demi-tour, un énorme bruit vous fait sursauter et vous sentez que la voiture vire légèrement.

— Arrêtez-vous sur le bas-côté! vous lance aussitôt le footballeur.

Vous vous exécutez sans discuter, comprenant que vous venez certainement de crever. Vous coupez le contact. Votre cœur bat à cent à l'heure sous l'effet conjugué de la surprise et de la peur.

Pourtant, votre première pensée est pour Olivia.

«Elle va me tuer», vous dites-vous, avant de détacher votre ceinture et de sortir pour aller constater les dégâts.

Liand vous imite et vous vous retrouvez bientôt tous les deux accroupis devant la roue arrière droite de votre Clio, qui est bien à plat.

Vous vous confondez en excuses, mais Liand ne semble pas en colère. Quant à vous, la panique vous fait passer en pilote automatique. Vous retroussez les manches de votre robe avant d'ouvrir le coffre. Vous attrapez le cric et la clef sous le tapis, puis la roue de secours elle-même.

Liand se précipite pour vous aider et vous prend la roue des mains.

— Merci! soufflez-vous avec un sourire reconnaissant.

— Passez-moi le cric, je vais le faire, déclare-t-il en posant la roue à terre.

— Vous voulez rire? Si vous arrivez à la séance couvert d'huile et de traces noires, je suis morte!

Vous vous mordez la lèvre en réalisant que vous venez d'engueuler Nicolas Liand, mais ce dernier éclate de rire en levant les mains.

— Puisque c'est ce qui vous inquiète!

Et le voilà qui enlève son sweat à capuche et se met à déboutonner sa chemise. En deux temps trois mouvements, il a terminé et s'avance vers vous en débardeur blanc.

À présent, ses muscles sont bien visibles et vous ne pouvez vous empêcher de les admirer. «La télévision ne rend pas justice aux footballeurs», songez-vous, en attrapant la clef et en essayant de dévisser le premier écrou.

Une nouvelle fois, votre passager intervient et vous vous retrouvez à vous disputer la clef. Vous finissez par vous mettre d'accord pour travailler ensemble : vous ôtez l'enjoliveur, il dévisse les écrous – vous impressionnant au passage par sa force – vous posez le cric, il enlève l'ancienne roue et met en place la nouvelle, et ainsi de suite.

Vous formez une équipe efficace, puisqu'en un gros quart d'heure, c'est terminé. Une fois le dernier écrou revissé, vous vous laissez tomber sur le gravier pour souffler quelques instants.

Liand vient s'asseoir près de vous.

— Vous m'avez impressionné ! dit-il en se passant la main sur le front.

Vous ne pouvez retenir un rire : la main du footballeur vient de laisser une large trace noire sur son visage.

— La maquilleuse va avoir plus de boulot que prévu, expliquez-vous devant son air interrogateur.

— Vous n'êtes pas mal non plus, lance-t-il avec un sourire en coin.

Vos mains sont entièrement noires, votre robe dans un sale état et vous n'osez même pas imaginer à quoi ressemble votre visage.

Vous vous relevez.

— Il faut vraiment qu'on y aille.

Le footballeur hoche la tête, et, ensemble, vous ramassez les outils pour les ranger dans le coffre, avant de remonter dans la voiture. Vous faites une toilette rapide avec un mouchoir devant le rétroviseur central, puis attachez votre ceinture.

— Cette fois, je vous guide! propose Liand en brandissant son téléphone portable.

L'ambiance dans la voiture est beaucoup plus détendue. Au bout de dix minutes, vous avez l'impression de faire la route avec un ami, vous laissant même aller à échanger quelques plaisanteries.

Malheureusement, la sonnerie de votre téléphone vient mettre fin à cette bonne humeur… Pas besoin de décrocher, vous savez pertinemment qu'Olivia s'impatiente.

Vous restez silencieuse pendant le reste du trajet.

Vous arrivez enfin au magazine en 53.

53

Quand vous entrez dans le studio accompagnée de Liand, sept paires d'yeux se braquent sur vous: celle d'Olivia bien sûr, mais aussi celles du photographe et de son assistante, de la styliste, de la maquilleuse, du coiffeur et d'Isabelle, la responsable mode.

Tout ce beau monde vous attend depuis plus d'une demi-heure… Vous lisez la colère sur le visage d'Olivia, mais elle se ressaisit car il s'agit d'accueillir la star du jour.

— Nicolas! commence-t-elle. Nous sommes vraiment tous ravis que vous ayez accepté de faire cette couverture. Croyez-moi, elle va être for-mi-dable. Je vous présente Cyril Anthony, notre photographe.

Pendant que Cyril salue Liand, Giselle, la maquilleuse, vous fait de grands signes.

— Qu'est-ce qui vous est arrivé? demande-t-elle.

Justement, le photographe vient de poser la même question au footballeur. Celui-ci vous adresse un regard compatissant, s'excusant par avance de devoir vous dénoncer.

— On a eu un petit souci sur la route. Un pneu crevé…

Les exclamations outrées d'Olivia sont à la hauteur de l'engueulade qui vous attend. Vous avez envie de disparaître dans un trou de souris… En même temps, vu votre état à tous les deux, vous saviez bien que vous n'y couperiez pas. En revanche, s'il y a bien une chose à laquelle vous ne vous attendiez pas, c'est à la réaction de Cyril, le photographe.

— Kate, *darling*? demande-t-il à la styliste. Tu vois ce que je vois?

Et il se précipite pour aller prendre une salopette en jean sur le portant contenant la sélection de vêtements prévue pour Nicolas Liand.

–… mécano? répond Kate, en se mordant la lèvre.

Elle dévisage le footballeur, avant de faire une petite moue.

— Pourquoi pas?

Vous comprenez que le photographe aimerait exploiter l'état dans lequel se trouve Liand pour son shooting. Vous regardez le footballeur : vous ne pouvez qu'être d'accord avec Cyril. Il est vraiment très sexy comme ça. Les traces noires sur le visage et ses mains sales lui donnent un côté rude qui contraste avec l'image lisse qu'il affiche d'habitude.

Les discussions se poursuivent de longues minutes, mais tous finissent par tomber d'accord. Vous soupçonnez Olivia d'avoir appuyé l'idée du photographe pour rattraper le temps perdu. Le timing est serré, vous le savez bien…

Vous observez Liand, curieuse de savoir ce qu'il pense de cette idée. Son visage reflète un ennui profond. Il semble décidé à faire ce qu'on lui demandera… mais comme il vous l'a dit pendant le trajet, pour lui, chaque séance de prises de vue est une corvée.

Vous vous approchez de lui et murmurez :

— Ce sera plus facile de vous mettre dans la peau d'un autre, non ?

Il relève la tête vers vous.

— Vous croyez ? demande-t-il, une lueur amusée dans ses yeux noirs.

Pensant être sur la bonne voie, vous insistez :

— Mais oui ! Au moins, pour une fois, vous ne poserez pas avec un ballon. Et puis tout le monde aime se déguiser… Il faut juste que vous arriviez à vous détendre, à oublier que l'équipe vous regarde.

Le footballeur vous dévisage un instant, et vous craignez qu'il ne se moque de votre pathétique tentative de coaching. Mais au lieu de ça, il lance d'une voix forte :

— Je voudrais poser avec elle.

La demande du footballeur retentit
encore à vos oreilles en 54.

54

En une seconde, toutes les conversations s'arrêtent, et un silence pesant s'abat sur le studio. Il est finalement rompu par Olivia, qui bafouille, en vous désignant.

— Avec *elle*?

Vous rougissez comme une pivoine et n'avez qu'une envie : disparaître sous terre. «Il aurait pu me demander mon avis, quand même!» vous dites-vous en jetant un regard noir au footballeur. Toute l'équipe vous dévisage. Et vous savez très bien qu'ils vous évaluent.

Vous pouvez même deviner ce qu'ils pensent en ce moment même : trop grosse, trop moche, mal habillée. Vous baissez les yeux.

Liand reprend, sans se laisser intimider par la réaction hostile de l'équipe :

— Oui. Je pense que la couverture serait plus forte.

Vous coulez un regard par en dessous à Cyril. La tête penchée, il se gratte le menton, les yeux plissés. Vous savez qu'il est en train d'imaginer les images qu'il pourrait tirer de ce casting. Et, à votre grande surprise, il ne semble pas trouver inenvisageable de vous faire figurer sur cette couverture.

— La star et l'inconnue, c'est une bonne idée, déclare soudain Isabelle.

Ça, c'est un soutien inattendu. Vous pensiez que la responsable mode serait la plus difficile à convaincre.

— En revanche, je pense que vous devriez poser avec Kate, ajoute-t-elle, en se tournant vers la styliste du shooting.

«Je comprends…», pensez-vous, en observant Kate. Il faut reconnaître que la jeune femme et le footballeur formeraient un très beau couple : elle est presque aussi grande que lui, longiligne, très brune avec de sublimes yeux verts en amande.

— Ah oui? demande Liand, en fronçant les sourcils. Et pour quelle raison?

Il est visiblement contrarié, ce qui suffit à vous faire oublier l'humiliation que vous venez de subir. «C'est avec moi qu'il avait envie de poser!» Peu importe que vous figuriez ou non sur cette couverture : Nicolas Liand a visiblement apprécié votre rencontre.

Isabelle semble gênée une seconde, mais elle se rattrape très rapidement.

— Oh, c'est juste un problème technique… Il faudra habiller le modèle du jour avec les vêtements qu'on a en réserve, et Kate a la taille… standard…

En une seconde, la situation est redevenue plus humiliante que jamais. Isabelle vient d'expliquer à la star que vous êtes trop grosse pour pouvoir poser avec lui. Vous sentez la colère prendre le dessus. Est-ce qu'il se rend compte à quel point c'est injuste?

Surréaliste même, de penser que la taille «standard» est le 34?!

Avant de travailler chez *Yes* vous n'aviez jamais eu le moindre problème avec votre poids. Mais depuis quelque mois, vous avez l'impression d'être un Bibendum.

Vous repensez à votre séance d'essayage avec Anaïs : il y a au moins deux tenues que vous pourriez porter pour ce shooting! Vous serrez les dents.

Allez-vous oser vous défendre? Proposer ces tenues à Cyril, qui semble le seul à ne pas trouver cette idée complètement folle? Mais vous êtes bien consciente que c'est prendre le risque de devoir vraiment poser pour la couverture de *Yes* avec Nicolas Liand. En êtes-vous capable?

Si vous voulez vous exprimer, c'est maintenant ou jamais.

Allez-vous parler des deux tenues disponibles en 55?

Ou bien préférez-vous laisser Kate poser pour la couverture en 61?

55

Vous prenez une grande inspiration.

— Il y a au moins deux tenues à ma taille dans la *shopping room* déclarez-vous, la voix tremblante malgré votre détermination à ne pas vous laisser impressionner.

— Parfait! appuie Liand, avec un grand sourire.

Isabelle fronce les sourcils, et vous voyez qu'elle réfléchit à un nouvel argument : elle sait qu'elle ne doit pas braquer le footballeur en refusant trop ouvertement son étrange lubie…

Elle envoie donc Kate chercher les deux tenues en suivant vos indications. Le silence règne dans la pièce jusqu'au retour de la styliste. Vous n'osez même pas regarder Olivia dans les yeux…

Enfin, Kate revient, brandissant devant elle la robe rouge et le smoking noir.

Isabelle ouvre la bouche – sans aucun doute pour disqualifier posément les deux tenues, mais cette fois-ci, Cyril est plus rapide qu'elle.

— La robe est parfaite! Je vois la scène : Nicolas Liand, en héros à la Bruce Willis, tient dans ses bras une demoiselle en détresse qu'il vient de… sauver des flammes!

Isabelle garde la bouche ouverte quelques secondes, puis la referme. Elle est assez expérimentée pour savoir qu'avec la star et le photographe contre elle, elle n'aura pas gain de cause. Elle affiche donc un sourire faussement enthousiaste.

— Merveilleux!

Olivia regarde sa montre et ordonne:

— On passe au maquillage tout de suite, on a assez perdu de temps comme ça.

À partir de là, les choses échappent à votre contrôle.

Dona, l'assistante de Giselle que la maquilleuse a appelée à la rescousse, s'occupe de vous. Vous assistez à votre transformation avec un étrange détachement, comme si c'était quelqu'un d'autre dans le miroir, en face de vous.

Quand, une heure plus tard, vous rejoignez le footballeur dans le studio, il écarquille les yeux, surpris.

— J'ai bien fait d'insister, vous glisse-t-il à l'oreille.

La robe rouge vous va parfaitement et le maquillage sophistiqué vous a métamorphosé en une délicate poupée. Vous avez beaucoup de mal à tenir sur vos talons de douze centimètres de haut, mais peu importe: a priori, on ne vous demandera pas de bouger!

Le footballeur, lui, porte un jean noir déchiré et un T-shirt blanc sali. Les traces de goudron et de poussière ont été soigneusement reproduites au maquillage: l'illusion est parfaite.

Cyril termine ses réglages, et la séance commence. Au début, ni Liand ni vous n'êtes très à l'aise. Vous avez du mal à vous accorder, chaque fois que le photographe vous demande de toucher la star, vous le faites avec un manque de naturel qui arrache des soupirs exaspérés à l'équipe. Quant au footballeur, il ne vous a pas menti, il est aussi maladroit que vous.

Au bout d'un quart d'heure de souffrance, Cyril s'énerve et demande à toute l'équipe de quitter le studio. Vous n'êtes plus que tous les trois.

— Il faut que vous vous mettiez dans la peau des personnages, vous explique le photographe. Imaginez la situation et ne me regardez pas. Je me débrouille. On va démarrer hors champ. Nicolas, vous la trouvez allongée par terre dans une pièce enfumée, vous vous précipitez pour la sauver, vous la prenez dans vos bras, et la sortez. Pensez juste que la sortie de l'appartement en feu est de ce côté-là, termine-t-il en désignant l'espace de prise de vue.

Le footballeur hoche la tête, puis il se penche vers vous.

— Vous vous en sortez bien, vous. Vous n'avez rien à faire!

Vous lui lancez un sourire d'excuse.

— Je vous promets que je serais la fille évanouie la plus convaincante que vous ayez jamais vue…, chuchotez-vous en vous allongeant sur le sol en béton froid. Vous fermez les yeux et vous devez vous morde l'intérieur des joues pour ne pas sourire. Vous avez soudain l'impression d'avoir six ans et de jouer avec vos cousins. Si vous tendez l'oreille, vous entendrez votre mère et votre tante discuter dans la cuisine. Tout à l'heure, on vous appellera pour le goûter, une tartine de beurre saupoudrée de chocolat…

Mais le contact des mains de Liand vous ramène à la réalité. Vous vous efforcez de ne pas changer d'expression, de ne rien laisser paraître. Vous êtes heureuse de devoir garder les yeux fermés. De cette façon, vous pouvez vous laisser aller à savourer le contact de sa peau sur la vôtre. Il passe un bras sous vos épaules, le second sous vos jambes, dans le creux de vos genoux, puis il se relève et vous vous sentez décoller du sol. Son parfum vous trouble, vous sentez son souffle sur votre visage.

Vous vous abandonnez complètement, en confiance dans ses bras musclés. Vous sentez à peine les légères secousses de chacun de ses pas. Vous avez du mal à savoir où vous vous êtes maintenant dans le studio photo, mais vous entendez nettement le déclencheur de l'appareil photo.

Cyril ne dit rien, laissant la scène se dérouler. Liand s'est arrêté. Vous sentez sa respiration rapide, son torse qui se soulève contre votre flanc. Votre tête basculée en arrière, la masse de vos cheveux blonds tombant en cascade, vous vous sentez étrangement bien.

Vous ne savez pas combien de temps vous restez tous les deux immobiles, comme dans une bulle. Soudain, vous entendez :

— C'est bon !

La voix de Cyril vient de rompre le charme. Vous clignez des yeux, éblouie par la lumière et découvrez les yeux verts du footballeur posés sur vous. L'intimité de ce regard vous trouble, et vous vous sentez rougir. Liand vous repose délicatement sur le sol, et vous réalisez que vous avez perdu une chaussure pendant la séance.

Vous enlevez donc votre second escarpin et vous dirigez vers Cyril. Le photographe est enthousiaste. Il fait défiler les photos sur l'écran de contrôle de son appareil et vous vous découvrez : abandonnée dans les bras de Liand, vous ne vous reconnaissez pas. Vous êtes d'ailleurs soulagée : on ne distingue pas vraiment vos traits sur la plupart des photos.

Vous admirez votre partenaire. Le footballeur est vraiment mis en valeur. Ses muscles tendus par l'effort, le regard déterminé du héros, les vêtements salis... Tout y est.

Cyril s'arrête finalement sur une des photos.

— Voilà, c'est celle-ci ! annonce-t-il, en tendant l'appareil à Nicolas Liand.

Celui-ci hoche la tête, visiblement satisfait. Puis il se tourne vers vous.

— Merci. Vous aviez raison... c'était facile.

Vous souriez timidement à la star. Le fait de le voir si parfait sur la photo qui va devenir la couverture du prochain *Yes* vous a rappelé qui il était. Vous ne savez pas ce que vous êtes censée faire maintenant que les photos sont terminées.

— Je vais aller me changer, murmurez-vous.

— J'ai une meilleure idée, réplique Liand. Vous restez exactement comme vous êtes, et vous m'accompagnez à la soirée.

Vous froncez les sourcils malgré vous en observant le footballeur.

— Rassurez-vous, ajoute-t-il aussitôt. Moi, je me change !

Son sourire est irrésistible et vous sentez toute réticence disparaître. «Je vais sûrement le regretter», songez-vous. Mais comment lui dire non?

Pendant que la star file se changer, vous remettez les escarpins beiges et allez récupérer vos ballerines, que vous glissez dans votre sac à main. Puis vous vous installez sur une des chaises devant le poste de maquillage et attendez.

Nicolas Liand vous rejoint en 56.

56

Vous êtes plongée dans la consultation de vos mails sur votre portable quand soudain, on toussote derrière vous. Vous vous retournez et restez figée une seconde.

Nicolas Liand se tient devant vous, en costume noir et chemise blanche, chaussures de ville noires et cravate assortie. Il n'a plus rien à voir avec le héros de la séance photo, mais il est encore plus beau – si c'est possible. Un sourire s'épanouit sur son visage.

— Je compte sur vous pour m'aider à survivre à cette soirée, dit-il.

— Je vais faire mon possible. Mais je ne vous promets rien… Je suis loin d'être une experte !

Vous vous levez et vacillez sur vos talons trop hauts. Le footballeur vous propose son bras, que vous acceptez, le cœur battant. Vous avez l'impression d'être dans un film. Et même si vous ne savez pas comment l'histoire va se terminer ni comment vous allez affronter vos collègues le lundi suivant… vous n'avez pas envie que ça s'arrête.

Vous suivez le footballeur dans l'ascenseur puis dans le hall de l'immeuble. Une limousine noire vous attend à l'extérieur. Le chauffeur vous ouvre la porte et vous vous installez tous les deux sur la banquette arrière en cuir.

Vous bouclez votre ceinture et la voiture démarre. Au bout de quelques minutes, le footballeur finit par rompre le silence

— J'espère que vous n'aurez pas de problème au magazine à cause moi…

— Oh, je préfère ne même pas y penser! vous exclamez-vous en riant. Je ne sais même pas si j'aurai encore un boulot lundi…

Liand vous regarde, soudain sérieux.

— Vous voulez que j'intervienne? Je dois sûrement pouvoir vous aider à le garder… ou à en trouver un autre, d'ailleurs. Je n'ai pas l'impression que vous en êtes très heureuse, ajoute-t-il doucement.

— Non, c'est sûr, c'est loin d'être mon rêve de bosser chez *Yes*, mais ça paye le loyer…

— Et c'est quoi votre rêve?

— Vous promettez de ne pas vous moquer? Je voudrais… J'ai toujours voulu être grand reporter.

Le regard vert du footballeur est plongé dans le vôtre. Il n'y a pas une trace de moquerie dans ses yeux, au contraire.

— Et alors? Pourquoi est-ce que vous avez abandonné cette idée? Vous ne croyez pas qu'il est un peu tôt pour se résigner?

La question vous perturbe. Bien sûr, vous vous êtes déjà demandé si votre choix était le bon. Mais la plupart du temps, vous n'y pensez plus, embarquée dans la folie du quotidien chez *Yes*.

Et plus vous côtoyez vos collègues désabusés, plus vous trouvez vos rêves ridicules et inaccessibles. Mais vous ne pouvez tout de même pas expliquer à quelqu'un qui a gagné la Coupe du Monde de football qu'il faut être réaliste…

— Sauvée par le gong, annonce Liand alors que la voiture se gare. Vous êtes prête à affronter les photographes?

Vous vous mordez la lèvre. «Bien sûr. On ne va pas rentrer discrètement.» Vous n'aviez pas réfléchi une seconde à l'arrivée à la soirée. Mais il est trop tard pour reculer, de toute façon. La portière s'ouvre et le footballeur s'extrait le premier de la voiture. Vous prenez la main qu'il vous tend et vous y accrochez comme à une bouée de sauvetage.

À peine avez-vous mis un pied sur le trottoir que les flashs crépitent, éblouissants. Les photographes crient le nom de Nicolas Liand pour attirer son attention. Vous le suivez tant bien que mal, concentrée sur votre équilibre. «Il faut juste que j'arrive à la porte sans me casser la figure», vous répétez-vous en boucle.

Et, un pied après l'autre, une pose après l'autre, vous parvenez enfin à l'intérieur du Savert, le palace où est organisée la soirée. Liand vous félicite.

— Le plus dur est passé, promis, vous souffle-t-il à l'oreille.

Pourtant, une fois dans le salon de réception, le calvaire continue… Vous êtes d'abord alpagués par le photographe officiel de la soirée, et – alors que vous essayez de vous éclipser discrètement – Liand insiste pour qu'on vous photographie ensemble.

Du coin de l'œil, vous repérez plusieurs de vos collègues qui vous dévisagent, stupéfaits. «Je vais entendre parler de cette soirée toute ma vie», vous dites-vous en souriant mécaniquement.

Liand vous conduit ensuite dans l'espace VIP, un petit salon situé dans le prolongement du grand, à l'accès contrôlé par un vigile en costume sombre. L'atmosphère y est plus calme, presque feutrée. La musique y est assourdie, les tables basses sont séparées les unes des autres par de grandes compositions florales. Une fois installée sur une des confortables banquettes rouges, vous avez la sensation d'être enfin protégée des regards curieux ou jaloux.

Au lieu de s'asseoir sur le petit fauteuil qui fait face à la banquette, de l'autre côté de la table basse, Liand vient s'installer à côté de vous. Sa proximité vous est devenue familière, et vous sentez les muscles tendus de vos épaules se relâcher.

À peine êtes-vous assis depuis quelques minutes qu'un serveur s'approche avec un plateau chargé de verres à shot de toutes les couleurs. Il les dépose sur la table basse et entreprend de vous détailler les boissons proposées.

— Ici, vous avez un shot vodka-caramel, là poire, pomme, framboise, vanille, chocolat et enfin melon.

Vous souriez: la commande que vous aviez passée pour l'espace VIP a été respectée. Mais vous n'auriez jamais pensé avoir l'occasion d'y goûter! Le footballeur commande un Perrier, puis vous fait signe de choisir. Après quelques instants d'hésitation, vous vous emparez du shot à la poire que vous buvez d'un trait.

Vous sentez la brûlure de l'alcool dans votre gorge.

— Très bon, déclarez-vous, un peu plus détendue.

Liand, lui, n'a pas l'intention de laisser tomber le sujet de votre carrière avortée. Il continue à vous questionner, cette fois sur vos études. La discussion est facile, et peu à peu, vous oubliez ce qui vous entoure. Le footballeur semble faire preuve d'un réel intérêt, et son regard magnétique vous donne l'impression d'être la seule personne dans la pièce.

Après un bon moment – et deux autres shots – vous prenez de l'assurance. Vous réussissez même à faire parler Liand. À son tour, il se confie, notamment sur son enfance. Comme vous pouviez l'imaginer, elle a été très centrée sur le sport. Trop, sans doute, si vous en croyez les regrets sa voix grave laisse percer.

Alors qu'il vous parle de ses premiers pas chez les professionnels, votre esprit dérive. Votre regard s'attarde sur ses lèvres, sur ses mains. Vous ne pouvez vous empêcher de vous demander comment cette soirée va finir. L'homme que vous découvrez est bien plus intéressant que l'image que vous en aviez. Vous voudriez lui manifester votre intérêt, mais vous ne savez absolument pas comment faire.

Vous regardez les shots qui s'alignent devant vous, et vous êtes tentée d'en boire un troisième. Une petite voix dans votre tête – votre conscience sans doute – vous suggère que vous avez déjà assez bu comme ça. Mais ce serait si simple d'être ivre, de vous laisser porter par les événements sans réfléchir…

Si vous décidez de boire un autre shot, allez en 60.

Si vous préférez vous abstenir, rendez-vous en 57

57

Vous secouez la tête, comme pour chasser cette idée. La dernière fois que vous vous êtes laissée tenter par le verre de trop, c'était il y a un an, à la soirée d'anniversaire de Cécile, une copine de fac. Et vous avez fini la nuit avec la tête dans la cuvette des toilettes, en vous jurant de ne plus jamais boire...

Ce souvenir vous fait grimacer, et Nicolas Liand s'interrompt.

— J'ai l'impression que je vous ennuie ! s'exclame-t-il avec un petit sourire.

Vous vous défendez tant bien que mal.

— Pas du tout ! Enfin, je veux dire, si...

Vous haussez les épaules et admettez :

— Bon, honnêtement, c'est vrai que je ne connais pas grand-chose au foot... En revanche, j'aimerais bien voir une photo de vous à seize ans !

Le footballeur éclate de rire.

— Je pense que vous seriez déçue ! J'étais un gringalet et j'avais de l'acné.

— Vous étiez un adolescent comme les autres, finalement.

Soudain, le footballeur se lève d'un mouvement vif.

— J'ai rempli mon contrat, déclare-t-il, après avoir jeté un coup d'œil à sa montre. Vous voulez que je vous la montre, cette photo?

Vous écarquillez les yeux devant son regard interrogateur. Il n'a pas l'air de plaisanter.

«Je ne rêve pas, il vient bien m'inviter chez lui?» Votre cœur accélère brutalement. Vous en êtes sûre: vous lui plaisez. Et il veut passer la nuit avec vous.

Cette idée vous donne le tournis.

Allez-vous accepter la proposition du footballeur en 58?

Ou bien refuser en 61?

58

Vous relevez le visage et regardez Liand droit dans les yeux.

— D'accord, murmurez-vous.

Le sourire du footballeur s'élargit. Il vous tend la main, vous la saisissez et vous levez à votre tour. Très consciente de vos mains enlacées, vous traversez le salon VIP sous les regards ébahis, notamment celui de Charlotte, votre rivale. Elle est installée sur une banquette en compagnie de Vincent Bazin, le présentateur du 20 heures ! En quelques instants, vous êtes dehors, où une nouvelle voiture avec chauffeur vous attend. Vous vous installez sur la banquette arrière, et la voiture démarre sans qu'aucun de vous deux n'ait dit un mot.

La tension est palpable. Le footballeur ne semble pas gêné par ce silence. Les yeux fixés sur vous, il semble détailler chaque centimètre de votre visage.

Au bout d'une dizaine de minutes, vous n'y tenez plus.

— Dites quelque chose ! Vous allez me faire peur…

— Vous n'avez peur de rien, chuchote Liand, en se penchant vers vous.

Sa main se pose sur votre joue, ses lèvres se rapprochent des vôtres. Votre premier baiser vous électrise. Ses lèvres sont chaudes, sa langue vient chercher la vôtre et vous fermez les yeux.

Quand la voiture s'arrête, Liand s'écarte de vous. Vous clignez des yeux, surprise que ce long baiser ne soit pas un rêve. Il quitte la voiture et fait le tour pour vous ouvrir la porte.

Une fois dehors, vous découvrez que vous vous êtes arrêtés à l'entrée d'un passage privé. Vous franchissez les grilles à pieds pour emprunter un petit chemin pavé. Il vous guide tout au bout, jusqu'à un bel immeuble à l'entrée luxueuse. Un portier vous y accueille et appelle l'ascenseur.

Lorsque les portes se referment, Liand se tourne vers vous.

— Où en étions-nous? demande-t-il avec un sourire gourmand.

Il vous attire à lui pour vous embrasser, d'un baiser plus profond et plus passionné encore. Vous vous séparez à regret quand l'ascenseur s'arrête au 8e étage.

Il n'y a qu'une porte sur le palier, la sienne. Vous le suivez dans l'appartement, immense et très luxueux, mais plutôt de bon goût d'après le salon que vous apercevez depuis l'entrée. La décoration est masculine, un mélange de bois sombre et de tons gris.

Liand vous prend par la main. Vous empruntez un long couloir jusqu'à la dernière porte sur la droite, qui s'ouvre sur sa chambre. La pièce est sobre: un lit gigantesque en occupe la majeure partie. Il est flanqué de tables de nuit noires et un dressing lui fait face. Les rideaux gris sont assortis au tapis moelleux.

« Le décorateur a bien travaillé, vous dites-vous. On se croirait dans un magazine de déco. »

— Je ne viens pas ici très souvent, murmure le footballeur comme pour se justifier.

Vous restez debout devant le lit, l'impatience et le stress se mêlant dans votre esprit et vous nouant le ventre.

Liand vous rejoint et plonge son regard dans le vôtre. Le désir que vous lisez dans ses yeux noirs vous fait frissonner. Ses mains se rejoignent dans votre dos, et lentement, toujours en vous regardant droit dans les yeux, il descend la fermeture éclair de votre robe. Puis il vous embrasse dans le cou, depuis la mâchoire jusqu'à la naissance des épaules. Ses mains accompagnent le mouvement en faisant glisser les bretelles de votre robe sur vos épaules. Vous sentez le tissu glisser sur vous et tomber à vos pieds. L'air frais caresse votre corps presque nu, et vous vous sentez à la fois atrocement exposée et plus belle que jamais.

Le footballeur se recule légèrement pour vous admirer dans votre ensemble noir très simple. Puis il ôte rapidement sa cravate et sa veste.

Vous entreprenez de déboutonner sa chemise. Il se laisse faire, et en profite pour faire courir ses mains sur vous. D'abord le long de vos bras, puis le long de vos flancs avant de remonter dans votre dos. Enfin ses mains se rejoignent sur votre poitrine, vous faisant lâcher le bouton que vous vous apprêtiez à défaire.

Il sourit et caresse doucement vos seins à travers le tissu. Après une profonde inspiration, vous parvenez enfin à détacher le dernier bouton de sa chemise. Les pans s'écartent pour révéler un corps parfait. Des pectoraux larges, des abdominaux parfaitement dessinés, un «v» marqué qui descend depuis les hanches…

Liand retire quelques instants ses mains de votre poitrine pour ôter complètement sa chemise. Il se débarrasse de ses chaussures d'un geste puis, vous fait asseoir sur le lit, et se met à genoux pour enlever vos escarpins.

Ses mains remontent ensuite lentement le long de vos jambes nues, vous arrachant un gémissement. Vous fermez les yeux, l'excitation monte en vous. Liand vous fait délicatement basculer vers l'arrière et vous vous retrouvez allongée sur le lit. Les draps sont frais contre votre peau.

Le corps du footballeur vient se presser contre le vôtre et vous sentez son membre dur à travers le tissu de son pantalon.

Vous cambrez les hanches, venant à sa rencontre sans contrôler vraiment vos mouvements. Les yeux toujours fermés, vous déduisez au bruit de fermeture éclair et de tissu froissé que Liand termine de se déshabiller. Bientôt, vous sentez de nouveau sa peau chaude et douce contre la vôtre. Son sexe libre appuie sur votre bas-ventre à travers le tissu de votre culotte, et vous comprenez qu'il est entièrement nu.

Allongé à côté de vous, Liand vous fait basculer sur lui. Vous ouvrez de nouveau les yeux pour ne pas risquer de tomber et vous retrouvez à califourchon. D'une main, il dégrafe votre soutien-gorge et le jette à côté du lit. Le regard fiévreux, il caresse votre poitrine, la soupesant, la pressant, jouant avec jusqu'à ce que vous gémissiez.

Les ondes de plaisir qui irradient depuis vos tétons érigés viennent se mêler aux contractions de votre sexe, contre lequel se presse la queue du footballeur. La mince barrière du coton vous semble à tout moment sur le point de céder tant vous sentez chaque millimètre de son gland brûlant l'orée de votre fente. Son bassin se soulève en rythme, mimant la pénétration et augmentant à chaque à-coup son excitation.

Sa respiration est haletante, son regard semble plus sombre, ses yeux à demi fermés. Soudain, il vous fait basculer sur le côté, et vous vous retrouvez de nouveau allongée sur le dos, frissonnante de désir et d'excitation.

Ses mains descendent votre culotte le long de vos jambes, et il l'envoie rejoindre vos vêtements sur le tapis près du lit. Puis il tend la main vers l'une des tables de nuit et en ouvre le tiroir pour en sortir un préservatif dont il déchire aussitôt l'emballage. Il enfile la protection de latex et, comme s'il ne pouvait attendre une minute de plus, écarte largement vos cuisses. Sa queue appuie à l'entrée de votre sexe humide, prêt à l'accueillir, puis il vous pénètre profondément en une seule poussée.

Un cri vous échappe, et il s'arrête, inquiet. Vous le rassurez d'un sourire, et ses hanches se remettent en mouvement. Appuyé sur les mains, il soutient tout le poids de son corps sans effort apparent. Ses va-et-vient sont profonds et puissants, et vous sentez le plaisir monter lentement dans votre ventre.

Après de longues minutes qui vous mènent au bord de l'orgasme, le footballeur se retire et s'assied. D'un geste, il vous redresse puis vous soulève et vous dépose sur ses genoux, dos contre son torse. Guidant son sexe d'une main, il vous pénètre dans cette position, puis s'allonge lentement en vous entraînant sur lui.

Puis les doigts de Liand viennent se poser sur votre clitoris. Il continue à vous pénétrer à un rythme lent et régulier, soutenant votre taille de la main gauche pendant que sa main droite vous caresse. Ses doigts tournent autour de votre bouton, le massent, le pincent doucement, l'effleurent, et vous sentez le plaisir monter en vagues successives.

Liand masse maintenant tout votre sexe du plat de la main, alors qu'il accélère le rythme de ses coups de reins. Vous sentez son sexe gonfler en vous. De nouveau, ses doigts s'attardent sur votre clitoris, le stimulant sans relâche. En quelques secondes, vous sentez votre corps céder. Un arc de plaisir vous traverse jusqu'à exploser en un violent orgasme. Liand jouit avec vous, les mains fermement agrippées à votre taille.

Lorsque votre corps se relâche, il vous fait lentement glisser sur le grand lit, vous gardant tout contre lui. Vous reprenez votre souffle, les yeux fermés, un sourire béat sur le visage. Peu à peu, vous sentez le froid vous gagner et vous vous mettez à trembler.

— Vous avez froid? chuchote Liand.

Sans attendre votre réponse, il ouvre les draps et vous aide à vous y glisser. Baignée dans la douce chaleur du lit, blottie dans les bras de Liand, vous ne tardez pas à sombrer dans le sommeil.

Réveillez-vous en 59.

59

C'est la lumière du soleil filtrant à travers les rideaux gris de la chambre qui vous réveille. Vous mettez quelques instants à réaliser où vous vous trouvez. Puis les souvenirs de la veille vous reviennent d'un coup.

Vous tournez la tête. Il est bien là, dormant à côté de vous. Nicolas Liand. La star du football. Vous souriez en songeant que vous connaissez maintenant les moindres détails de son corps.

Il dort profondément, le visage tranquille. Vous n'avez aucune idée de l'heure qu'il est, et vous vous glissez donc hors du lit pour récupérer votre portable dans votre sac à main, que vous trouvez au pied du lit.

Vous constatez en regardant l'écran que vous avez raté une quinzaine d'appels et autant de SMS. Tous vos collègues ont tenté de vous joindre… Visiblement, votre arrivée – comme votre départ! – au bras de Nicolas Liand n'est pas passée inaperçue.

«Et encore, songez-vous, pour l'instant, ils ne savent pas encore que je suis sur la couverture!»

Vous ne savez pas comment vous allez gérer ça. Et à vrai dire, à cet instant précis, vous n'en avez strictement rien à faire. Il est 9 h du matin. Vous hésitez à partir à la recherche de la salle de bains pour vous rafraîchir un peu, quand soudain, une voix s'élève dans votre dos.

— Bonjour…

Vous vous retournez pour découvrir Liand, en appui sur un coude, en train de vous observer. Vous riez nerveusement, et vous dépêchez de le rejoindre sous les draps.

— Vous êtes consciente que je vous ai déjà vue nue ? vous demande-t-il, un sourire moqueur aux lèvres.

— Oui, mais c'était hier… chuchotez-vous.

— C'est vrai, répond le footballeur en vous embrassant dans le cou. Je devrais… vérifier…

Sa main vient caresser votre sein.

–… que rien n'a changé.

FIN

Comment se serait passée la soirée si vous aviez fait d'autres choix ? Pour le savoir, recommencez en 1 !

«Oh et puis tant pis! décidez-vous, en vous emparant d'un nouveau shot. Au point où j'en suis…»

Vous videz le petit verre cul sec, sous l'œil amusé de Nicolas Liand.

Et c'est la dernière chose dont vous vous souvenez clairement. Après, tout devient flou.

Le lendemain matin, vous vous réveillez dans votre lit. La lumière du jour qui entre par la fenêtre vous fait mal à la tête, et vous peinez à vous orienter. Vous avez encore l'impression que tout tourne autour de vous.

«Qu'est-ce qui s'est passé?»

Vous soulevez la couette: vous êtes en sous-vêtements. Vous apercevez votre magnifique robe rouge roulée en boule au pied de votre lit, à côté de votre sac à main.

Les souvenirs vous reviennent peu à peu. Vous, en train de danser sur une table du petit salon VIP. Vous, pendue au cou du footballeur gêné. Vous, soutenue par Anaïs alors que vous attendez un taxi.

«C'est ça, c'est Anaïs qui m'a raccompagnée et m'a mise au lit.»

Vous ne savez plus à quel moment vous avez fait fuir Liand. Mais une chose est sûre : vous vous êtes ridiculisée…

Vous laissez votre tête retomber sur l'oreiller en soupirant. Vous feriez mieux de vous rendormir pour ne plus y penser.

FIN

Vous regrettez certians de vos choix ? Pas problème, vous pouvez recommencer n 1 !

61

Malgré votre colère, malgré le regard insistant de Liand, vous ne vous sentez pas prête à poser en couverture d'un magazine. Surtout pas de celui pour lequel vous travaillez. Vous ne seriez pas capable d'assumer devant vos collègues.

Vous vous contentez donc de faire un sourire désolé au footballeur, comme pour confirmer l'excuse d'Isabelle. Vous apercevez le regard soulagé de la responsable mode et la mimique d'approbation d'Olivia. Liand est le seul qui semble déçu, mais il finit par hausser les épaules.

Votre chef en profite pour presser tout le monde : il n'y a pas de temps à perdre si on veut boucler le numéro à temps.

Le footballeur et Kate sont emmenés au poste de maquillage et Isabelle se tourne vers vous.

— Tu peux nous donner un coup de main ? Puisque Kate est occupée, ajoute-t-elle surtout à l'adresse d'Olivia, comme pour s'excuser auprès d'elle de lui voler « sa » main-d'œuvre.

Vous hochez la tête. Isabelle vous demande d'aller lui imprimer un dossier et de lui redescendre. Vous quittez donc le sous-sol, partagée entre le soulagement et un sentiment de gâchis.

Arrivée dans l'*open space*, vous constatez qu'il est quasiment désert. La plupart de vos collègues sont partis se préparer. Il ne reste plus que les quelques malchanceux qui doivent travailler au bouclage de la couverture. Eux doivent seulement espérer pouvoir assister à la fin de la soirée…

Vous vous laissez tomber sur votre chaise et vous vous connectez au serveur interne pour y chercher le fameux dossier d'Isabelle. Une fois l'impression lancée, vous sortez votre miroir de poche et un sachet de mouchoirs en papier de votre sac à main. Vous parvenez à faire disparaître les traces de vos déboires mécaniques sans trop de difficulté. Quant à votre robe, elle a le gros avantage d'être noire. Si on n'y regarde pas de trop près, les dégâts peuvent passer inaperçus… En tout cas, c'est ce que vous espérez, car au train où vont les choses, il n'y a aucune chance pour que vous puissiez repasser chez vous pour vous changer comme prévu.

Vous soupirez en pensant à la tenue parfaite que vous aviez soigneusement préparée, et qui vous attend sur votre lit. «Tant pis…» vous dites-vous, consciente que votre tenue du soir n'intéressera de toute façon pas grand monde.

L'impression du dossier n'étant pas terminée, vous vous accordez quelques minutes de pause. Depuis la réunion de crise, tout est allé très vite. Si vite que vous n'avez pu que réagir à ce qui vous arrivait, sans vraiment y penser.

«Dire que je pourrais être en train de poser avec Nicolas Liand, songez-vous en faisant la moue. Je suis vraiment trop bête...» Vous êtes tout de même assez fière de vous: vous êtes sûre de l'avoir impressionné en changeant cette roue de voiture. La preuve: c'est lui qui a eu l'idée de vous faire poser avec lui!

Vous souriez en imaginant la tête d'Anaïs quand vous lui raconterez tout ça ce soir.

Vous vous levez pour aller récupérer les documents à l'imprimante qui se trouve à l'entrée de l'*open space*, devant les ascenseurs.

Alors que vous êtes en train de rassembler les feuilles, vous entendez une voix dans votre dos.

— Excusez-moi, mademoiselle?

Vous vous retournez et vous retrouvez face à un homme en costume noir. Très grand, il doit avoir une quarantaine d'années. Ses cheveux bruns soigneusement coiffés et ses lunettes lui donnent un air de premier de classe. Mais en version réussie: vous remarquez immédiatement que c'est un homme séduisant. D'ailleurs, vous n'avez pas le souvenir de l'avoir déjà croisé dans les locaux. Mais à le voir comme ça, vous seriez prête à parier que c'est un contrôleur de gestion du groupe.

La majeure partie des hommes qui travaillent dans le groupe de presse s'occupent des finances ou bien du juridique. Ils sont tous regroupés au 6e étage, surnommé «le gentlemen's club» par Franck, le DA.

— Est-ce que vous pourriez m'indiquer où se trouve le bureau d'Anne Detour?

Vous vous retenez de sourire : aucun membre de la rédaction n'appellerait Mademoiselle par son nom complet. Vous hésitez. Vous êtes attendue au sous-sol et vous savez que le timing est déjà très serré… Mais votre intuition vous dit de prendre quelques minutes pour l'aider.

Préférez-vous vous vous excuser poliment et filer au sous-sol en 63 ? Ou bien l'accompagner jusqu'au bureau de Mademoiselle en 62 ?

— Suivez-moi, proposez-vous. Je vous y conduis.

L'homme semble surpris et vous remercie chaleureusement, vous gratifiant au passage d'un sourire
qui semble sincère. «Il l'air bien plus jeune quand il
sourit, remarquez-vous tout en traversant l'*open space*.
Peut-être que c'est juste le costume qui vieillit?» Tous
vos amis connaissent votre incapacité à évaluer l'âge
des gens qui vous entourent. Ils ont même inventé un
jeu à boire dans lequel il faut deviner l'âge de parfaits
inconnus. Et il vous a toujours été fatal…

Il ne vous faut que quelques instants pour arriver
devant le bureau de la directrice de la rédaction.

— Voilà, vous y êtes! annoncez-vous en vous tournant vers l'inconnu.

Vous en profitez pour détailler le visage de
l'homme à la recherche de nouveaux indices sur son
âge. Il a bien quelques rides aux coins des yeux – de
très beaux yeux verts d'ailleurs…

— J'espère vous revoir ce soir, vous lance-t-il après
vous avoir remerciée.

Vous mettez une seconde à comprendre qu'il parle de la soirée de lancement.

Vous faites la moue.

— Si on arrive à boucler la couverture à temps, on se croisera peut-être !

Puis vous tournez les talons, ne voulant pas perdre plus de temps. Vous entendez l'homme frapper à la porte du bureau de Mademoiselle.

Vous récupérez les feuilles sur l'imprimante et vous engouffrez dans l'ascenseur.

Rejoignez le shooting en 64.

63

Vous faites une moue désolée.

— Je vous y aurais bien emmené, mais je suis vraiment très pressée, expliquez-vous. On est en plein bouclage de la couverture de la nouvelle formule… C'est tout au fond de l'*open space*, le bureau fermé sur la droite. Par là, vous voyez, terminez-vous, en pointant du doigt dans la direction indiquée.

— Je comprends, répond l'homme en souriant. Merci beaucoup, en tout cas. Et bon courage!

Vous le remerciez d'un sourire.

«Il a l'air plutôt sympa, dommage que je n'ai pas le temps de faire plus ample connaissance», vous dites-vous, en entrant dans l'ascenseur, les bras chargés de feuilles.

Vous rejoignez le shooting en 64.

64

Isabelle se plonge immédiatement dans le dossier que vous lui apportez. Le shooting a déjà commencé, et vous admirez le couple que forment Nicolas Liand et Kate.

«C'est vrai qu'ils sont parfaitement assortis, reconnaissez-vous. Isabelle a l'œil.»

Le footballeur ne vous a pas vu entrer, et vous avez tout le loisir de l'observer depuis le fond de la salle. Et le regard qu'il porte sur sa partenaire d'un jour est très différent de celui qu'il vous réservait il y a une heure.

Vous faites la moue. Il vous trouvait sans doute très sympa… mais ce sont les filles comme Kate, grandes, minces, aux visages parfaits qui l'intéressent. Lors du trajet du retour, après avoir changé la roue ensemble, vous aviez cru un instant lui plaire… Vous vous étiez imaginé finir la nuit dans ses bras, mais vous comprenez que vous vous berciez d'illusions.

Heureusement pour vous, vous n'avez pas le temps d'être déçue. Olivia vous fait courir partout pour récupérer les accessoires manquants, aller vérifier l'état d'avancement des articles de remplacement ou vérifier un détail dans la série de mode sportswear du numéro…

Quand la séance photo se termine, vous êtes épuisée, et il vous reste encore une longue liste de choses à faire. Vous avez un pincement au cœur quand vous entendez Liand proposer à Kate d'être sa cavalière pour la soirée, mais vous vous raisonnez.

Vous avez déjà une histoire extraordinaire à raconter à vos amis… mieux vaut se concentrer là-dessus que se morfondre et passer une mauvaise soirée ! Une fois cette bonne résolution prise, vous vous dirigez vers le parking. Mais une mauvaise surprise vous y attend : le badge magnétique vous permettant d'accéder au parking ne fonctionne pas. Vous poussez un profond soupir. « Je crois que l'univers essaie de me faire passer un message, vous dites-vous. Quelque chose comme : arrête la voiture, et mets-toi au vélo. »

En attendant, vous n'allez pas pédaler jusqu'au Savert, le palace où est organisée la soirée qui a officiellement commencé depuis vingt minutes…

Vous décidez donc d'aller prendre un taxi en 65.

Vous quittez l'immeuble et inspirez avec plaisir une grande bouffée d'air frais. Vous faites quelques pas sur le trottoir, guettant le passage d'un taxi.

Soudain, une voiture de sport s'arrête à votre hauteur. La vitre avant se baisse et vous vous penchez, pensant que le conducteur veut vous demander son chemin. Vous ne vous attendiez pas à connaître son visage : c'est l'homme en costume que vous avez croisé tout à l'heure dans l'*open space*.

— Vous voulez monter ? vous propose-t-il. Je vais à la soirée, moi aussi.

Vous hésitez un instant, les avertissements de vos parents sur le fait de ne jamais monter en voiture avec un inconnu retentissant à vos oreilles. Puis vous haussez les épaules : non seulement l'homme travaille dans le même groupe que vous mais, en plus, il n'a vraiment pas l'air d'un psychopathe.

— Vous ne dites pas ça pour m'emmener sur un terrain vague et m'assassiner ? demandez-vous avec le sourire.

Le conducteur lève la main droite.

— Je jure que non. Pour le terrain vague, en tout cas…

Vous éclatez de rire. C'est le sourire parfait de l'homme qui vous décide à accepter sa proposition. Vous ouvrez la portière côté passager et vous installez à côté de lui.

Une fois votre ceinture bouclée, il vous tend la main et se présente.

— Christophe, dit-il.

Vous lui serrez la main en vous présentant à votre tour. Puis vous ajoutez avec un petit sourire, alors que l'homme redémarre.

— Laissez-moi deviner : vous travaillez au 6e étage ?

— J'ai une tête de financier, c'est ça ? vous répond-il en souriant.

— Pas la tête d'un journaliste, en tout cas… ni la voiture ! vous exclamez-vous, avant de vous mordre la lèvre.

Vous n'avez pas envie de le vexer. Heureusement, Christophe ne semble pas prendre mal vos remarques.

— Et votre couverture alors ? Vous vous en êtes sortie ? demande-t-il.

Vous êtes flattée qu'il se souvienne de ce détail, et vous racontez la séance photo.

«Ça devrait nous permettre de tenir le temps du trajet», vous dites-vous.

Christophe est bon public et rit plusieurs fois au cours de votre récit. La conversation est facile et le temps passe vite. Vous êtes presque déçue d'arriver déjà au Savert.

Vous vous arrêtez devant le voiturier et vous retrouvez bientôt tous les deux sur le trottoir.

Vous vous excusez auprès de votre chauffeur d'un jour :

— Je vais essayer de retrouver mes collègues en passant par l'entrée de service ! expliquez-vous.

Christophe hoche la tête.

— J'espère vous revoir tout à l'heure ! lance-t-il, en se dirigeant vers l'entrée dédiée à la soirée, pendant que vous rejoignez celle de l'hôtel.

Vous tentez de retrouver Olivia en coulisses en 66.

66

Vous entrez dans l'hôtel et retrouvez rapidement l'entrée du grand salon, qui ne sera utilisée ce soir que par les prestataires et les personnes chargées de l'organisation. Comme prévu, vous y retrouvez Olivia, qui fait le point avec Charlotte.

— Tout va bien? demandez-vous.

— Oui, Charlotte a fait un super boulot, tout est sous contrôle. La plupart des VIP sont arrivés, le buffet est en place et le discours du P.-D.G. est prévu dans une dizaine de minutes. Allons saluer les invités!

Vous comprenez que vous n'aurez pas cinq minutes pour vous rafraîchir… En entrant dans le grand salon, vous attrapez la première coupe de champagne qui passe et le videz d'un trait pour vous donner du courage. Vous savez qu'un marathon vous attend. Un marathon dans lequel votre rôle principal sera celui de faire-valoir d'Olivia…

Votre chef se précipite pour aller embrasser un top model, et vous fait signe d'immortaliser le moment. Vous vous exécutez en prenant la photo par en dessous. Résultat: Olivia a un magnifique double menton! Vous souriez : pourquoi se priver de ces petits plaisirs?

Les minutes défilent, et bientôt, on annonce le discours du P.-D.G. «Ça va me faire cinq minutes de pause… Dix pour peu qu'il soit bavard.» Vous vous reculez discrètement, et allez vous appuyer contre les baies vitrées au fond du salon. Vous en profitez pour admirer le magnifique jardin du palace. La vue est surprenante : toute cette verdure au cœur de la ville! Les petites allées sont parfaitement entretenues et il y règne une lumière subtile provenant de jolies lanternes.

Vous vous retournez en entendant le micro grésiller et manquez tomber à la renverse : l'homme qui vient de monter sur l'estrade et de s'emparer du micro n'est autre que Christophe. « Christophe. Christophe, comme Christophe Torianni.»

Vous secouez la tête, ahurie. Vous repassez toute la conversation du trajet dans votre tête, en cherchant quelles idioties vous avez bien pu lui dire. «En même temps, j'ai commencé par l'accuser d'être un psychopathe, vous rappelez-vous. Est-ce que j'ai vraiment pu faire pire ensuite?»

Vous vous rendez compte qu'il n'a jamais confirmé votre hypothèse selon laquelle il travaillait au 6e étage. Non, il a éludé la question. «Il a fait exprès! comprenez-vous, en colère. Il m'a volontairement caché qui il était…» Vous vous sentez humiliée.

Autant dire que vous n'écoutez pas un mot de son discours. Vous profitez des applaudissements nourris à la fin de son intervention pour rejoindre la porte qui donne sur le jardin. Une fois dehors, vous empruntez une allée au hasard, cherchant un endroit tranquille où reprendre vos esprits. Vous trouvez un banc où vous vous asseyez.

Ruminez votre colère en 67.

67

Plus les minutes passent et plus vous êtes furieuse contre Christophe. «Enfin, je devrais sûrement dire contre M. Torianni, étant donné que c'est le P.-D.G.!»

Un bruit vous fait relever la tête : c'est un serveur qui parcourt les allées. Souriant, il vous propose un verre.

— Il me faut quelque chose de fort! grognez-vous. Pas du champagne.

— Je m'en occupe, mademoiselle.

Le serveur s'éloigne, et vous vous en voulez un peu de ne pas avoir été plus aimable. Vous vous promettez de vous excuser quand il reviendra avec votre verre.

En attendant, vous sortez votre portable et envoyez un texto à Anaïs pour savoir où elle se trouve. Vous auriez bien besoin de quelqu'un avec qui partager votre détresse… mais vous n'avez aucune envie de retourner la chercher dans le grand salon. Ce serait prendre le risque de vous faire de nouveau alpaguer par Olivia.

Quelques minutes seulement se sont écoulées quand vous entendez à nouveau des bruits de pas.

— Vous êtes rapide! lancez-vous avant de relever le nez de votre portable.

C'est Christophe Torianni qui se tient devant vous. Et il fronce les sourcils, perplexe.

— Rapide?

Vous bafouillez:

— Non… ça ne s'adressait pas à vous…

Le P.-D.G. regarde autour de lui: il n'y a personne d'autre dans ce coin du jardin. Vous vous sentez rougir, ce qui vous énerve encore plus. «C'est lui qui est en tort, pas moi!»

Vous croisez les bras en silence.

— Vous m'en voulez? demande Christophe en s'asseyant sur le banc à côté de vous.

— À votre avis?

— J'aurais pu vous dire qui j'étais, soupire-t-il. Mais je suis sûr que le trajet aurait été beaucoup moins agréable…

Vous le fusillez du regard.

— Et vous croyez que c'est agréable pour moi, de découvrir en arrivant ici que j'ai raconté ma vie au grand patron? Et que je l'ai accusé d'être un *serial killer*?

Christophe éclate d'un rire si franc et chaleureux que vous ne pouvez vous empêcher de sourire.

— Écoutez, je suis vraiment désolé de vous avoir mise dans une situation désagréable. Mais je suis ravi d'avoir pu faire votre connaissance sans que vous vous sentiez obligée de me faire des courbettes…

Il est interrompu par le retour du serveur, qui vous tend un verre de vodka avec des glaçons et une rondelle de citron.

Vous le remerciez chaleureusement, et il s'éloigne, après avoir proposé une coupe de champagne à votre voisin.

Vous videz votre verre de vodka cul sec. Trop d'émotions pour une seule journée. Ou pour une seule personne, vous ne savez plus bien.

Vous lancez un regard noir à Christophe. Celui-ci fait une moue d'excuse que vous n'arrivez pas à détester. Il boit une gorgée de champagne en silence.

— Est-ce que je peux faire quelque chose pour me faire pardonner? demande-t-il.

Vous réfléchissez.

— Je suppose que vous allez refuser de me trouver un poste de direction dans votre groupe?

Christophe vous fixe avec insistance, comme pour vérifier que c'est bien du second degré. Vous levez les yeux au ciel.

— Je plaisante, Christophe, détendez-vous!

Il secoue la tête, amusé.

— J'ai une idée! propose-t-il soudain. Ça vous dirait de découvrir une vue superbe sur la ville?

Vous lui jetez un regard soupçonneux.

— Comment ça?

— Il y a une terrasse aménagée sur le toit du Savert, réservée aux clients de la suite présidentielle. Vous voudriez y faire un tour?

Vous dévisagez Christophe tout en réfléchissant: vous avez du mal à continuer de lui en vouloir. Si vous êtes parfaitement honnête avec vous-même, vous devez reconnaître qu'il vous plaît. Ses yeux verts, son air de premier de la classe tiré à quatre épingles qui contraste avec l'humour dont il fait preuve…

Mais suivre cet homme dans la chambre d'un palace? Observer la ville endormie depuis les toits? Si vous acceptez, vous craignez de ne plus pouvoir contrôler la suite des événements. Et que les choses deviennent très compliquées pour vous chez *Yes*. Pour le moment, personne ne vous a vu parler au P.-D.G. du groupe. Il est encore temps de vous excuser et de retourner dans le grand salon…

Avez-vous envie de suivre Christophe sur le toit en 68?

Ou bien préférez-vous retourner dans le grand salon en 69?

68

Vous vous levez du banc, et déclarez d'un ton bien plus assuré que votre décision :

— Très bien, allons la voir, cette terrasse !

Le P.-D.G. se lève à son tour, un sourire aux lèvres.

Vous ne savez pas exactement ce qui vous a décidé… Vous vous dites que Christophe vous plaît, et qu'il a tout autant intérêt que vous à ce que personne ne sache rien de votre rencontre. Alors, pourquoi ne pas se laisser tenter, après tout ? Ce n'est pas comme s'il venait régulièrement dans les bureaux : la preuve, vous travaillez chez *Yes* depuis 6 mois, et c'est la première fois que vous le voyez.

Vous vous tournez vers lui :

— Quel est le point de rendez-vous ?

Il fronce les sourcils, sans comprendre.

— On ne va pas quitter le grand salon ensemble ! vous exclamez-vous. Ma vie serait un enfer au bureau !

Christophe fait la moue, visiblement désolé de ne pas y avoir pensé lui-même. Il réfléchit une seconde, puis répond :

— Le plus simple est de se retrouver au 7e étage. Je pars le premier; je vous attendrai devant les ascenseurs.

Son ton enjoué vous confirme que ce petit stratagème l'amuse beaucoup. Vous le regardez s'éloigner. Comment le P.-D.G. d'un si grand groupe de presse peut-il être si jeune et si sympathique? Vous imaginiez le grand patron en homme d'âge mûr coincé...

Après avoir laissé passer un délai raisonnable, vous rejoignez Christophe. Vous traversez la suite Impériale, qui est d'un luxe inimaginable. «Il y a une salle à manger! songez-vous en passant. Qui a besoin d'une salle à manger dans une chambre d'hôtel? Les gens sont fous...»

Mais à peine avez-vous mis un pied sur l'immense terrasse que vous oubliez tout. La vue est magique et la terrasse en elle-même est sublime. Deux banquettes et deux fauteuils en bois exotique sur lesquels sont disposés de moelleux coussins entourent une table basse de la même essence.

Des bougies sont disposées un peu partout, donnant à l'endroit une tonalité irréelle... et romantique. Des plaids sont mis à disposition sur les fauteuils au cas où la soirée se rafraîchirait. Et la végétation parfaitement entretenue donne l'impression d'être isolé du monde, coupé de tous les regards alors même que vous profitez de cette vue imprenable. Pour couronner le tout, deux flûtes et une bouteille de champagne dans un seau rempli de glace attendent sur la table basse.

— C'est... superbe, soufflez-vous.

Vous rejoignez Christophe devant le garde-fou, et il se tourne vers vous. Son sourire a disparu, la lueur dans ses yeux n'a plus rien d'amusée. Un léger frisson parcourt votre nuque.

Sans ajouter un mot, vous vous approchez de lui. En vous haussant sur la pointe des pieds, vous passez une main autour de son cou et déposez un baiser sur ses lèvres.

Christophe réagit immédiatement, ses mains se posent sur votre taille pour vous plaquer contre lui, et vous échangez un baiser profond qui vous laisse haletante. Son regard vert est brûlant de désir et vous sentez votre corps réagir.

Vous prenant la main, il vous entraîne vers une des banquettes de la terrasse, s'y assoit et vous attire à califourchon sur ses genoux. Vous tentez de retenir votre robe qui se relève sur vos cuisses, mais sa main se pose sur la vôtre pour vous en empêcher. Christophe plonge son regard dans le vôtre et fait glisser sa main de plus en plus haut sur votre cuisse. L'air frais sur votre peau nue vous fait frissonner à nouveau. Les mains de Christophe continuent à caresser vos jambes, depuis vos genoux jusqu'à l'intérieur de vos cuisses. La pulpe de ses doigts effleure votre peau, laissant sur leur passage comme un sillage électrique.

Puis, lentement, ses doigts viennent tracer le contour de votre culotte, les côtés d'abord, puis au-dessus, abaissant légèrement le tissu pour parcourir la lisière de votre toison. Vous haletez, vous sentez que vous mouillez. Le plat de sa main vient se poser sur le tissu et masser lentement votre sexe à travers votre culotte. Vous gémissez sans retenue dans le silence parfait de la terrasse.

Les yeux brillants, Christophe fait passer votre robe par-dessus votre tête, puis prend quelques secondes pour vous admirer.

— Vous êtes magnifique, vous chuchote-t-il à l'oreille. Et j'ai très envie de vous…

Sa voix rauque, le désir et l'excitation que vous percevez, tout concourt à vous faire perdre la tête. Vous vous pressez contre lui pour l'embrasser fougueusement, vos ongles lui labourant le dos à travers son costume. Vous ondulez du bassin, venant frotter votre sexe contre l'érection que vous percevez maintenant très nettement sous son pantalon.

Christophe ferme les yeux et grogne, en vous pressant plus fort encore contre lui. Puis, comme s'il ne pouvait plus se retenir, il vous attrape par la taille et vous soulève, pour vous déposer dans le fauteuil à côté de la banquette. Il se déshabille, commençant par sa veste et sa chemise. Un sourire aux lèvres, vous le détaillez. Grand, il semble très mince quand il est habillé, mais torse nu, vous découvrez des muscles secs et puissants. Vous comprenez mieux comment il a pu vous soulever si facilement.

Christophe profite de votre évaluation pour se débarrasser du reste de ses vêtements, ne gardant sur lui que son boxer dont le tissu est tendu par son membre gonflé. Puis il s'approche de vous et vous tend la main pour vous relever du fauteuil. Il vous embrasse fougueusement, ravivant votre excitation, et vous fait pivoter sur vous-même.

Obéissant aux indications muettes qu'il vous donne, vous vous penchez en avant, appuyant vos avant-bras sur le dossier du fauteuil. Sous vos yeux, la ville et ses lumières. Derrière vous, les mains de Christophe parcourent votre corps avec ferveur. Ses caresses descendent le long de votre dos, puis ses mains viennent se plaquer sur vos fesses. Il les malaxe, les écarte, les presse. Votre sexe palpite, impatient.

Enfin, Christophe attrape l'élastique de votre culotte et la fait descendre le long de vos cuisses, puis la laisse tomber sur vos chevilles. Vous soulevez une jambe, puis l'autre pour vous en libérer. Vous fermez les yeux un instant, vous sentant soudain trop exposée devant lui.

Une nouvelle fois, ses mains se posent derrière vos genoux, et remontent lentement par l'intérieur de vos cuisses. Votre bassin ondule dans le vide, et vous gémissez. Vous avez envie qu'il vous touche, qu'il vous caresse, qu'il vous prenne, vite et fort.

Enfin, ses doigts atteignent vos lèvres humides, les parcourent, les écartent, les stimulent. Puis du plat de la main, il masse votre bas-ventre et vous avancez le bassin vers ses doigts, cherchant à guider ses mouvements vers votre clitoris. Cédant à votre impatience, Christophe écarte vos lèvres et vient poser son majeur sur votre bouton gorgé de sang. En quelques cercles lents, vous êtes déjà prête à jouir.

Mais Christophe s'interrompt et vous comprenez qu'il est en train d'enlever son boxer, puis d'enfiler un préservatif. Vous sentez son gland se présenter entre vos cuisses, et ce contact vous arrache un cri que vous tentez d'étouffer. Puis, avec une lenteur presque insupportable, Christophe vous pénètre de quelques centimètres… et s'arrête. N'y tenant plus, vous projetez vos fesses en arrière pour qu'il entre tout entier en vous. Vous l'entendez pousser un soupir rauque, et ses mains viennent s'agripper à votre taille.

Vous sentez qu'il perd le contrôle, plongeant en vous en va-et-vient profonds et puissants. Chaque coup de reins vous arrache un gémissement, vous sentez le plaisir irradier dans votre ventre. Au bout de quelques instants, sa main droite redescend vers votre sexe. De nouveau ses doigts vous caressent, vous écartent, puis posant le majeur et l'index de chaque côté de votre clitoris, il s'amuse à l'emprisonner, le presser, le pincer ou l'effleurer.

Son sexe gonfle et palpite en vous, vous sentez qu'il est sur le point de basculer. Christophe presse une dernière fois votre clitoris et vous jouissez ensemble. Haletante, en sueur malgré la fraîcheur du soir, vous vous laissez tomber sur le fauteuil.

Christophe se retire doucement, puis attrape un plaid qu'il dépose sur vos épaules. Vous vous y emmitouflez avec bonheur et fermez les yeux quelques instants.

Quand vous les rouvrez, Christophe a enfilé son boxer, et vous tend une flûte de champagne.

Vous le remerciez d'un sourire et buvez une gorgée.

— Meilleure soirée de lancement de ma vie, murmurez-vous avec un sourire malicieux.

Christophe lève sa flûte vers vous, et l'intensité de son regard vous fait frissonner.

— Vous ne croyez pas que la soirée est terminée, j'espère? vous demande-t-il, en haussant un sourcil. Il y a tout un tas de pièces à visiter dans cette suite, vous savez...

Vous vous mordez la lèvre en sentant vos sens s'éveiller à nouveau au son de la voix grave et pleine de promesses de Christophe.

Pourquoi penser à lundi, au bureau, à toutes les complications possibles alors qu'il est si bon, si facile de profiter de ce moment?

Vous vous levez, laissant tomber le plaid sur le sol de la terrasse et chuchotez:

— Je me demande bien à quoi sert d'avoir une si grande table dans la salle à manger d'une suite...

FIN

Comment avez-vous terminé la soirée si vous aviez pris d'autres décisions? Pour le savoir, recommencez en 1!

69

Vous faites la moue.

— Je suis sûre que la vue est sublime, dites-vous. Mais je ne pense pas que ce soit une bonne idée de me retrouver là-haut seule avec vous… Avec le P.-D.G. du groupe pour lequel je travaille, précisez-vous, devant l'air dépité de Christophe.

Il hoche la tête, déçu, tandis que vous vous levez.

— Je n'ai pas envie de me compliquer la vie encore un peu plus, soufflez-vous. Je suis désolée, Christophe.

— Je comprends, soupire-t-il, avant de se lever à son tour. Je vous laisse un peu d'avance pour rejoindre le grand salon…

Vous lui souriez avant de vous engager dans l'allée qui mène au grand salon.

— Si jamais vous quittez le groupe un jour, faites-moi signe ! vous lance-t-il, de loin.

Vous regagnez le grand salon, où la soirée bat son plein. La musique forte a poussé ceux qui voulaient discuter dans les coins, et la plupart des invités dansent au milieu de la grande salle. Vous apercevez Anaïs, et vous vous avancez pour la rejoindre.

Il vous faut un quart d'heure pour vraiment vous mettre dans l'ambiance de la fête, mais vous finissez par vous laisser aller au rythme de la musique. Vous dansez jusqu'à en être fatiguée, avec quelques courtes pauses le temps de goûter – et d'apprécier – les délicieux amuse-bouches du buffet.

«Olivia a bien fait de faire venir Ian Bramfield», songez-vous.

Peu à peu, et sans que vous vous en rendiez compte, la salle se vide. Vous n'avez pas vu le temps passer. La plupart des invités sont partis ou en train de partir. Vos collègues ont quitté la piste de danse, et vous les apercevez, assis en cercle dans un coin du grand salon.

Allez-vous les rejoindre en 70?

Ou bien préférez-vous rentrer chez vous dès maintenant en 39?

70

Vous haussez les épaules. Vous serez fatiguée demain, mais pour une fois que vous vous amusez, autant en profiter jusqu'au bout!

Il y a là Anaïs, la jeune Prune qui semble complètement saoule, mais aussi Franck, le DA, et plusieurs ré-
dacteurs et rédactrices, que vous connaissez de nom
ne fréquentez pas habituellement.

vous installant à côté d'Anaïs, vous comprenez
ont lancé un jeu à boire. Plusieurs bouteilles
ol fort sont disposées au centre du cercle, et
un tient son verre à la main. Anaïs vous en tend
souriant.

Ne me demande pas pourquoi, mais on joue à
ai jamais».

C'est quoi les règles? demandez-vous, déclen-
un rire général.

nck se dévoue.

Chacun prend la parole à tour de rôle pour ra-
r quelque chose qu'il n'a jamais fait. Ceux dans
rcle qui l'ont déjà fait doivent boire. Si personne

ne l'a jamais fait, c'est celui qui a parlé qui boit. Simple, non?

Vous faites la moue. Peut-être avez-vous déjà bu un peu trop d'alcool, vous n'êtes pas sûre d'avoir tout suivi.

— Je te montre, reprend Franck. Alors... Je n'ai jamais... conduit bourré!

Simon, un rédacteur actu, et Jeanne, une styliste, lèvent leur verre et le vident d'un trait.

— Je sais, c'est mal, lance ensuite Simon. Mais c'était il y a longtemps. Et j'habitais dans un trou paumé!

— OK, j'ai compris! vous exclamez-vous en vous servant un verre de vodka.

— À toi, alors! vous dit Franck.

Vous réfléchissez quelques instants avant de v lancer.

— Je n'ai jamais... mangé de céleri!

Anaïs éclate de rire.

— Merci du scoop!

Mais la jeune femme lève son verre, comme les autres.

— Peut-être, rétorquez-vous, mais j'ai fait tout le monde!

Les déclarations s'enchaînent et, bientôt, vou franchement aux révélations de plus en plus r bolesques. Votre regard croise plusieurs fois ce Franck, qui est assis juste en face de vous.

C'est au tour de Simon de parler. Il fait un sourire, visiblement satisfait de l'idée qu'il d'avoir.

— Je n'ai jamais... couché avec un homme!

Vous riez et levez votre verre, tout comme Jeanne, Anaïs et Sophie. Puis comme tout le monde, vous vous tournez vers Franck, qui n'esquisse pas un geste. Quand il se rend compte que tout le monde a les yeux braqués sur lui, il éclate de rire.

— Oui, j'ai bien entendu, s'écrie-t-il. Non, je ne suis pas gay ! Je sais que la plupart des gens le pensent, et j'avoue que j'en joue un peu. Pourtant, je n'ai jamais couché avec un homme !

Vous videz votre verre de vodka, les yeux brillants. «Ça, c'est un vrai scoop…» Vous avez toujours trouvé Franck très séduisant, mais comme vous ne le pensiez pas intéressé par les femmes…

L'alcool vous fait tourner la tête et vous désinhibe largement, si bien que quand Sophie propose de passer à un «action ou vérité», vous approuvez avec un enthousiasme de collégienne.

Anaïs, elle, se lève et annonce qu'elle va partir en taxi. Vous l'embrassez sur les deux joues en lui faisant une déclaration d'amitié alcoolisée, avant de retomber lourdement sur le sol. Après quelques questions sans intérêt, le jeu se met vite à tourner presque exclusivement autour des relations amoureuses et des pratiques sexuelles…

Vous écoutez d'abord les confessions de Prune, la jeune rédactrice actu arrivée aujourd'hui au magazine, qui avoue que sa première fois a eu lieu à vingt-deux ans, et qu'elle en était très complexée. Puis Paul, un graphiste, raconte la plus grande honte de sa vie : le jour où sa belle-mère l'a surpris au lit avec sa petite amie. Il mime si bien sa réaction que vous êtes tous pris de fou rire.

Quand votre tour arrive, vous n'hésitez pas long-temps : vous n'avez aucune envie de révéler des détails intimes à vos collègues, mais vous êtes tellement ivre que vous pourriez aller danser sur le bar s'ils vous le demandaient.

— Action ! annoncez-vous donc crânement.

Simon et Sophie discutent à voix basse une seconde puis éclatent de rire. C'est Sophie qui vous révèle leur choix :

— Embrasse la personne de ton choix. Ça peut être parmi nous ou n'importe qui dans la salle. Garçon ou fille, bien sûr !

Vous parcourez la salle des yeux pour gagner du temps. Vous ne voulez pas avoir l'air de vous précipiter… mais vous savez pertinemment qui vous avez envie d'embrasser. Et il se trouve juste en face de vous.

— J'ai choisi, annoncez-vous, les yeux baissés.

Au lieu de vous lever, vous vous avancez à quatre pattes, traversant le cercle sous les sifflets admiratifs de Simon, Paul et Franck. Ce dernier s'arrête quand il comprend que vous vous dirigez vers lui. Ses yeux marron vous fixent avec une lueur coquine.

Vous vous agenouillez à quelques centimètres de lui et posez une main sur son épaule. Vous sentez votre cœur battre plus rapidement, et vous craignez un moment de ne pas oser aller jusqu'au bout. Les autres se mettent à taper dans leur main, et vous vous lancez. Vous avancez vers Franck et venez presser vos lèvres sur les siennes.

Elles sont douces, avec un petit goût de miel. Alors que vous vous apprêtiez à vous reculer, vous sentez soudain la main du DA se poser sur votre nuque. Il vous attire plus près de lui encore, et vous sentez sa bouche s'entrouvrir. Il aspire délicatement votre lèvre inférieure, la mordille quelques instants puis la libère. Puis sa langue vient chercher la vôtre, le baiser se fait plus profond.

Vous sentez votre respiration s'accélérer, votre tête tourner. Ça ne ressemble plus du tout à un baiser de jeu… Vous vous laissez aller encore quelques instants, puis finissez par vous écarter, sous les applaudissements de l'assistance.

— Ça, c'est de l'action! admire Paul.

Vous regardez Franck en rougissant, qui, loin de se joindre aux rires de vos collègues, soutient votre regard. Vous avez l'impression d'y lire du désir. Ce qui est certain, c'est que vous allez avoir du mal à penser à autre chose. Au lieu de retourner à votre place, vous vous asseyez juste à côté de lui, votre genou touchant le sien.

Les autres continuent à parler, mais vous n'écoutez plus rien. Vous ne pouvez détacher votre regard du visage Franck. Après ce qui vous semble être une éternité, mais qui est sans doute à peine quelques minutes, le DA se penche vers vous et vous glisse:

— On y va?

Un frisson vous parcourt. Vous ne pouvez pas nier que Franck vous attire. Mais une petite voix parvient à se frayer un chemin dans votre tête malgré les vapeurs d'alcool. «Tu travailles avec lui tous les jours… Est-ce que c'est vraiment une bonne idée de coucher avec lui ce soir?»

Si vous décidez d'ignorer l'avertissement de votre conscience et de céder à votre désir, suivez Franck en 71.

Si vous préférez refuser, rendez-vous en 72.

71

Vous haussez les épaules, comme pour chasser cette petite voix moralisatrice de vos pensées et chuchotez, en réponse à Franck :

— Quand tu veux…

Il se lève et vous tend la main pour vous aider à vous relever.

Vous la saisissez en gloussant comme une ado. Une fois debout, vous devez vous accrocher à lui pour ne pas tomber. Vous titubez à son bras vers la sortie, sans prêter attention aux exclamations moqueuses de vos collègues.

Une fois la porte du grand salon franchie, vous vous retrouvez tous les deux dans la rue. Vous savourez la fraîcheur de l'air nocturne, qui vous permet de reprendre un peu vos esprits. Vous restez un long moment la tête posée sur l'épaule de Franck, à regarder le ballet des taxis et des derniers invités qui quittent la soirée. Vous sursautez quand une moto passe devant vous en trombe.

Sortant de votre rêverie, vous vous tournez vers Franck :

— Tu habites où?

Au lieu de répondre, Franck vous passe gentiment la main dans les cheveux, rangeant une mèche égarée derrière votre oreille.

— Il faut que je t'avoue quelque chose, dit-il.

— Quoi? demandez-vous, en fronçant les sourcils.

— J'ai menti tout à l'heure…

Vous ouvrez la bouche pour demander des précisions, mais alors que votre regard plonge dans celui de Franck, tout vous semble limpide.

— Tu es vraiment gay…, soupirez-vous.

Il hoche la tête.

— Je suis désolé de t'avoir mise dans cette situation, répond-il avec une petite moue. Je ne voulais juste pas qu'on parte sur le terrain habituel… Qui fait quoi au lit? Comment ça se passe entre deux hommes? Et bla-bla-bla…

Vous souriez.

— Je t'avoue que j'aurais été la première à poser la question! admettez-vous, avec un petit rire.

— Tu ne m'en veux pas? demande-t-il, un peu penaud.

— Non, répondez-vous franchement. En fait, je pense même que c'est bien mieux comme ça!

Soulagé, Franck vous sourit.

— Si tu veux, je connais un super resto ouvert toute la nuit, à dix minutes à pied d'ici. Ça te tente?

Vous hochez la tête en lui prenant le bras.

Cette soirée vous aura finalement apporté quelque chose de complètement inattendu : un nouvel ami !

FIN

Curieuse de savoir comment se serait déroulée la soirée si vous aviez fait des choix différents? Alors recommencez en 1 pour le découvrir !

Vous vous mordez la lèvre, et vous penchez à votre tour vers Franck pour lui chuchoter :

— Ne crois pas que je n'en ai pas très envie, moi aussi. Mais on travaille ensemble… Je pense que ce n'est pas une bonne idée.

Bizarrement, il ne semble pas déçu par votre réponse. Il hoche la tête et, après avoir vidé son verre de whisky, chuchote :

— Tu as tout à fait raison.

Puis, sans crier gare, il se met debout et s'écrie :

— Qui veut danser ?!

Sophie et Jeanne se lèvent aussitôt, et ils rejoignent tous les trois le centre du grand salon, où quelques invités s'attardent encore.

Vous lancez un sourire un peu gêné à Simon et Paul, et annoncez :

— Je vais rentrer… Amusez-vous bien ! Et ne prends pas ta voiture, Simon ! ajoutez-vous avec un clin d'œil.

Vous vous relevez, attrapez votre sac à main et vous dirigez vers la sortie.

Rendez-vous en 39.

Table des chapitres

table des chapitres

table des chapitres

Imprimé en Allemagne par GGP Media GmbH, Poessneck,
en mars 2014
ISBN : 978-2-501-09402-3
4147997
dépôt légal : avril 2014